JN082329

児童文学の中の家

深井せつ子

X-Knowledge

はじめに

小さな頃から本が大好きな人は多いですね。
でも、私は本をプレゼントされてもさほど熱心ではありませんでした。
外で遊ぶのが何より好きだった子供時代。
海がすぐ目の前にあったのです。
延々と続く砂浜、キラキラ輝く海面、繰り返す波の音、松の林を通り抜ける風。
濡れた砂で家や人を作ると、荒波でアッサリとくずされ、また作る……。

そんな呑気な子供だった私も、小学校四年くらいになると、学校の図書館に入り浸るようになります。教会の帰り道では、市立図書館に行くのが楽しみになりました。

そう、本は探すもので、大人から与えられるものではなかったのですね。

アンデルセンは好んで読んでいたのを覚えています。「人魚姫」を読んで、海の中で暮らすにはどうしたらよいのかしら？と思いふけりました。海面の下に透明な家を作り、人が暮らす絵を描いたら学校の廊下に展示されました。家の中には、確か応接セットがあったはず。

本書では二七の児童文学作品をとりあげています。不可思議な物語や昔話など、どれも世界中で翻訳され、絵本や映画にもなったりもしています。私は建物や家具に最も興味があるので、物語の中のそれらに焦点を絞り、想像も交えて二七話を描きあげました。建築好きによる、名作の《新解釈》といってもいいかもしれません。

異国の暮らしに触れる 61

昔話と寓話の家 103

名探偵たちの晴れ舞台 125

装丁―中嶋香織
編集協力―内山さつき
DTP―TKクリエイト

異世界への扉が開く場所

田舎の古いお屋敷が別世界への入り口に

『ライオンと魔女―ナルニア国ものがたり〈1〉』

C・S・ルイス 著

イギリスの片田舎にある学者先生の屋敷。部屋が無数にあって、庭も広い。

戦火を逃れ、ロンドンから疎開してきた四人のきょうだいが、田舎の古い邸宅から不思議な世界へと迷い込む、児童文学のファンタジーの代表作です。

子どもたちが滞在することになった邸宅は、観光客や歴史愛好家が予約して見学に訪れるほど古く、よく知られた建物で、四人はさっそく探検に出かけます。食堂やキッチンなど普段使う部屋のほかにも、主人の客が滞在する部屋だけでも十近く。加えて図書室が二つに、肖像画などの絵画を展示する部屋、たて琴が置かれている音楽室や、よろいかぶとが置かれた部屋などが廊下や階段で複雑につながり、全部でいくつ部屋があるかわからないほど大きなお屋敷です。

カーテンの奥に隠
れるエドマンド。

子供たちは「かくれんぼ」
を始める。数を数えるピー
ター、走るルーシィ。

衣装箱にもぐり込むスーザン。

お屋敷の片隅で、末っ子のルーシィは大きな家具を見つける。

衣装だんすの奥に広がる世界

すべての発端となった、謎めいた衣装だんすがある部屋は、舞踏会の更衣室に使われていたようで、ほかには何の家具もありません。たんすは見事な彫刻で飾られた特別あつらえで、中で着替えもできそうなほど大きなものでした。好奇心が強い末っ子のルーシィは、一人でたんすに入り、毛皮のコートが並んでいる中を、奥へ奥へと探っていきます。するとは前方にぼんやりとした明かりが見え、暗闇を進んでいくと、いつの間にか目の前には見たこともない不思議な世界――永遠に冬の季節が続き、春のやってこない世界になってしまった魔法の国、ナルニア国が広がっていたのでした。

巨大なたんすに入ってみるルーシィ。

中は真っ暗。なぜか後ろ向きに歩く。

全7巻の壮大な物語

ナルニア国から戻ったルーシィは、不思議な体験を話しますが、みんなはルーシィが嘘を言っていると疑い、まるで信じてもらえません。でも、鬼ごっこをしているとき、今度は四人一緒にナルニア国に迷い込んでしまいます。ナルニア国でも時は戦時下。子どもたちは、白い魔女と、国王であるライオン・アスランとの戦いに巻き込まれこまれていくのですが……。

ナルニア国シリーズは全七作で完結しています。キリスト教的な解釈では、ライオンのアスランは、イエス・キリストのシンボルであるとされています。事実、作者のC・S・ルイスは熱心なキリスト教信者で、

たんすの外に足を踏み出すと、
そこは一面の雪景色。ルーシィ
は半人半獣のフォーンと出会う。

ナルニア国の王、アスランと
戦士になったピーター。

この七つの物語を通して、人間の中の善と悪との戦いについて描き出したのでした。ですが、その世界観はキリスト教世界だけに留まるものではなく、魔女や精霊、鬼たちなどが繰り広げる、壮大で魅力的なファンタジーとなっています。

平凡な中流家庭の家から
古城のような魔法魔術学校へ
『ハリー・ポッターと賢者の石』

J・K・ローリング 著

魔法魔術学校の入学許可証をハリーに届けに来たホグワーツのフクロウたち。

ハリーは11歳まで叔父夫婦の家庭で育つ。自分の部屋もなく、眠るのは階段下の物入れ。

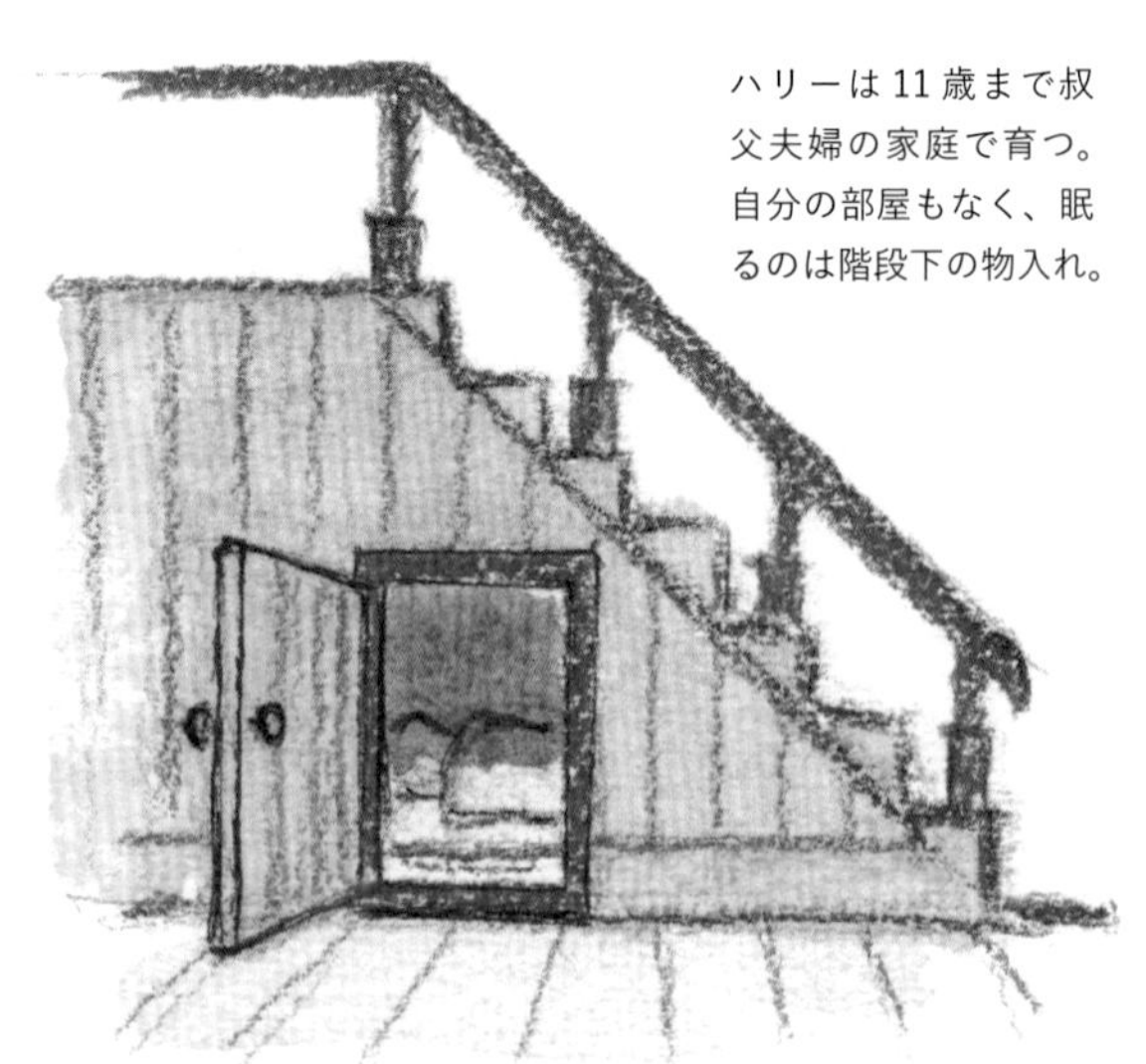

生まれてまもなく両親を殺されてしまったハリー・ポッターは、ロンドンの北二十キロほどにある叔父の家に預けられました。イギリスの住宅には、一戸建てのデタッチトハウス、二軒長屋のセミデタッチトハウス、六軒から百軒程度つながったテ

ハグリッドと入学
準備の買い物に出
かける。

このフクロウもハグリッド
と一緒に選んだ。

［ハリー・ポッターと賢者の石］ 15

大小の塔がそびえ立つ
ゴシック様式の
魔法魔術学校

ラスハウス、三階以上の集合住宅パーパスビルドフラット、一階と二階に住み分けるメゾネット、駐車室付き住宅タウンハウスなど、多くの種類があります。ハリーの叔父は小企業の社長で、家は裕福な一戸建てでした。

ハリーを嫌う叔父は、二階との階段の下の三角の物置をハリーにあてがいます。二階には叔父夫婦と従兄のダドリーの部屋、客用寝室があり、さらにもう一室余っているというのに、蜘蛛の巣だらけの狭い空間にハリーを押し込めてしまったのです。

十一歳になったハリーは、ホグワーツ魔法魔術学校の番人のハグリッドから、自分が魔法使いであると知らされます。そこで三角屋根の建物が並ぶ中世のような魔法界の商店街ダ

イアゴン横丁を訪ね、衣料品店や書店などで入学に必要な所持品を揃えるのでした。その時に買ったヘドウィグと名付けた雪のように白いふくろうは、このあとずっとハリーを助けてくれることになります。

ハリーたちはロンドンのキングス・クロス駅から特別列車で北へ向かい、その夜、ホグワーツに到着。湖畔の山の上に建つ、城のような魔法魔術学校に入ります。

全七巻を読んでいる間、私は、本に夢中になって、何度も電車で駅を乗り過ごしてしまいました。息をつく間もなく、一気に読ませる面白さは、このシリーズの真骨頂といえるでしょう。

人間の家の床下に住む“借り暮らし”の一家

『床下の小人たち』

メアリー・ノートン 著

イギリスの小人たちはこういう
古い民家が好みらしい。

インドが植民地だった頃のイギリスの田舎の物語です。九歳の男の子がリューマチで療養していた古い家で体験したことを、姉のメイが親戚の娘に語るという形で、物語は展開します。

ソフィおばさんの古い家の床下には、小人の家族三人が住んでいました。田舎の古い家は、一六〇〇年代のチューダー朝時代の建築です。むき出しの木組みの間にレンガを埋め込み、しっくいを塗った、ハーフティンバーと呼ばれる様式です。玄関の大広間には、二〇〇年以上も時を刻んでいる大時計があって、その下に小さな穴がありました。ここが小人の出入り口です。

小人たちは、人間に見つからないように、家の中から食料や日用品を

家の持ち主、ソフィおばさんの居心地の良い応接間。

大広間の古い大時計の下から、そっと家の中へ。

借りてくる「借り暮らし」をしています。ある日、小人家族の父親ポッドは、男の子に姿を見られて恐怖を感じ、数日「借りに」行くことができなくなってしまいました。しかし妻のホミリーにせっつかれ、外を知らない娘のアリエッティと出かけることにします。アリエッティは男の子と出会い、彼はドールハウスの家具や日用品、食料などを床下へ渡してくれるようになりました。

初めて外へ出る、
好奇心いっぱいの
アリエッテイ。

大時計の下の穴から、
アリエッティ一家の住
まいにつながっている。

「滅びゆく者たちの悲しみ」

小人家族の父親ポッドは、靴職人で、勤勉だけれど口が重い、労働者階級らしい人物です。ポッドの妻のホミリーは気取り屋で、仲間への差別意識をむき出しにする様子は、階級意識が強かった当時のイギリス人を反映しているようです。

若い娘のアリエッティは好奇心旺盛で、外の世界に憧れています。孤立した、閉鎖的な生活を抜け出して、新しい世界への道を切り開こうとするその姿は、作者メアリー・ノートンがこの物語を執筆した一九五〇年代、イギリスで反体制を叫んだ作家たち「怒れる若者たち」の姿と通じるものがあるのかもしれません。

母のホミリーは人間から借りてきたものを使って、何でも手づくり。

人間の家の食器棚に素敵な
ドールハウスがあった。

ドールハウスの家具は小人たちにぴったり

人に見られてはならない、床下の借り暮らし。一瞬たりとも気を緩められない日々です。その緊張感はたいへんなもので、読んでいてハラハラさせられるほど。インド育ちのやさしい男の子の助けで、一家はやっと一息つくことができたものの、今度は使用人に見つかってしまうのではないかと落ち着くことがありません。結局、男の子の過ぎた親切が、小人たちのここでの暮らしを破滅に

男の子が、次々とドールハウスの家具を持ってきてくれる。

追いやってしまうことになるのです。

逃げること以外に抵抗手段も持たず、滅びゆくしかない弱者の辛さ、生き延びていくための決断……。小人たちの置かれた境遇から、実に多くのことを考えさせられる作品です。

一家が人間に見つかって大騒ぎに。アリエッテイたちは、今どこにいるのだろう。

「永遠の少年」が訪れる神聖な子ども部屋
『ピーター・パン』

J・M・バリー著

ロンドン、ケンジントン公園の近くにあるダーリング家。著者のバリーもこのあたりに住んでいた。

大英帝国最盛期のヴィクトリア時代に建てられた、美しい住宅。十九世紀末、ロンドンの中流階級の人たちは、このような家に住んでいたようです。

子ども部屋は兄弟三人が同室でしたが、長女のウェンディは天蓋付きの寝台をもらいます。ある日母親は、子どもたちの会話にピーターという名前が出てくるのに気づきます。不思議に思いウェンディに尋ねた母親は、自分自身も子どもの頃信じていた、ピーターの存在を思い出したのでした。

両親が外出した夜、ピーターは子ども部屋に現れ、みんなに空の飛び方を教えて、おとぎの島へと連れていきます。ここから三人の子どもたちの冒険がはじまりました。ピーター

ウェンディと弟たちのもとに、
ピーター・パンとティンカーベルが訪れる。

は親から捨てられた迷子の男の子たちの大将で、フック船長率いる海賊たちと戦いを続けています。唯一の女の子、ウェンディはみんなの母親のような存在になりました。

ピーターは忘れっぽく、すぐに気が変わる、うぬぼれの強い少年でした。あるときピーターが、「昔、ぼくがうちに帰ると窓がしまっていて、おかあさんはぼくのことを忘れた」と言ったとき、子どもたちはみな家に帰りたくなります。が、そのときフック船長が総攻撃を仕掛けてきて、帰ろうとした子どもたちも捕まってしまいます。ピーターは持ち前の勇気と知恵でフック船長に勝ち、海賊たちを制圧したのでした。

ダーリング家の子ども部屋。時計の針が午前零時を指すころ、ピーター・パンが窓から入ってくる。

さあ、みんなでネバーランドに行こう。

新しい神の造形

ピーター・パンとは一体どういう存在なのでしょう。パンは、ギリシャ神話の男の半獣神のことで、笛が得意なのがピーターと共通していますが、作者はこのパンを意識したのでしょうか。ピーターの心は、わがままいっぱいの未熟な子どものまま。大人になることを拒み、母の愛や女性の愛を理解することができません。でもそれでいて、ウェンディの母親が思わず心からのキスを与えるほどかわいらしく、利口で指導力があり、力強い存在でもあるのです。作者は、ピーターという、これまでどんな神話もつくることができなかった新しい神の形をつくり出したのかもしれません。

身体が伸びたり縮んだり、見慣れた家が奇妙な場所に『不思議の国のアリス』

ルイス・キャロル 著

ケーキには「私を食べて！」の文字。

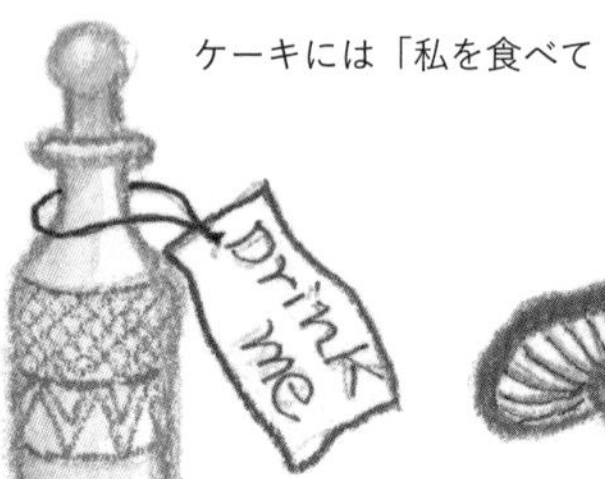

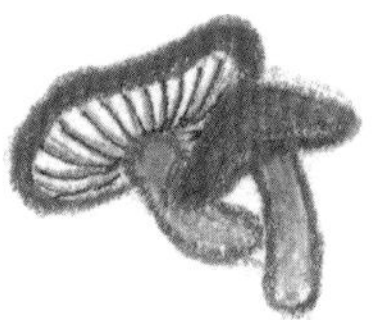

「私を飲んで！」と書かれた薬を飲むと、アリスはぐんぐん小さくなる。

大きくなり過ぎて、家が壊れそう。
さあ、これからどうなるんだろう。

十歳のアリスは草の上で退屈していました。通りかかった白ウサギを追いかけ穴に飛び込むと、不思議な棚の間を落ちて、枯れ葉の山の上に着地。不思議の国の冒険が始まります。テーブルの上にあった飲み物を飲んで身体が縮んだり、ケーキを食べて今度は大きく伸びすぎてしまったり。アリスは十二回も伸び縮みを繰り返しながら、不思議の世界を体験していきます。

物語は予測がつかない展開を繰り返すので、読者は想像が追い付かず、何度も読み返すことになります。いっぽうで、非現実的な世界でありながら、お茶の習慣や当時の階級社会など、ヴィクトリア朝の文化のディテールが書き込まれ、興味の尽きることがありません。

「木骨造り建築を探して」

ヨーロッパを旅していて印象的なのは、木骨造りの住宅です。木材で柱や梁を組み、その間をレンガや石で埋めて、壁は漆喰を塗る建築様式です。屋根は、田舎の戸建ては萱葺き、町では瓦が多いようです。十五世紀から十七世紀あたりにさかんに建てられましたが、今はあまり残っていません。シェイクスピアの生地ストラットフォード・アポン・エイヴォンには、木骨造りの生家が残っています。付近の通りにも木骨造りの長屋が保存され、ホテルや商店として使われています。郊外にあるシェイクスピアの妻の実家は、半分が木骨に漆喰、半分が赤レンガ積み、その上に分厚い萱葺き屋根という､美しい姿を今に伝えています。

アンデルセンの生家や育った家も、いまは黄色やオレンジに塗装されていますが、やはり木骨造りです。オーデンセの旧市街には、さらに古い家の街並みが残ります。外観は建築保存法により改修できませんが、中は快適につくり変えられるので、伝統の中で暮らす喜びがありそうです。

初めて木骨造りの街並みに出会ったのは、ドイツ北部の古都ツェレでした。中心地近くの木骨造りのホテルに入ると、すぐに探索に出ました。この通りもあの通りも木骨造りの家がぎっしり。木骨造りが途絶えるとがっかりして別の道に入る、を繰り返し、へとへとになりました。通りに面したパブで泡たっぷりのビールを飲みながら、黒やこげ茶色の木組みと白やクリーム色やピンクの壁の対比をじっくりと眺めました。一つの建物だけでは作り出せない美しさ。修復を重ね、みんなで協力しあって生み出した世界です。

ドイツでは南のローテンブルク、ディンケルスビュールなどでも木骨造りの街並みに出会い、その力強さに圧倒されました。権力を示すことを目指した教会や城とは違う、庶民の暮らしを映す家の数々。かつてそこに生きた人々の息吹が、いまも感じられるようでした。「飛ぶ教室」の生徒たちは、こういう街並みを行き交っていたのだと思い、羨ましくなりました。

北欧の空気を感じる住まい

まるでおもちゃのような
明るくかわいい北欧の木造家屋
『ロッタちゃんのひっこし』

アストリッド・リンドグレーン 著

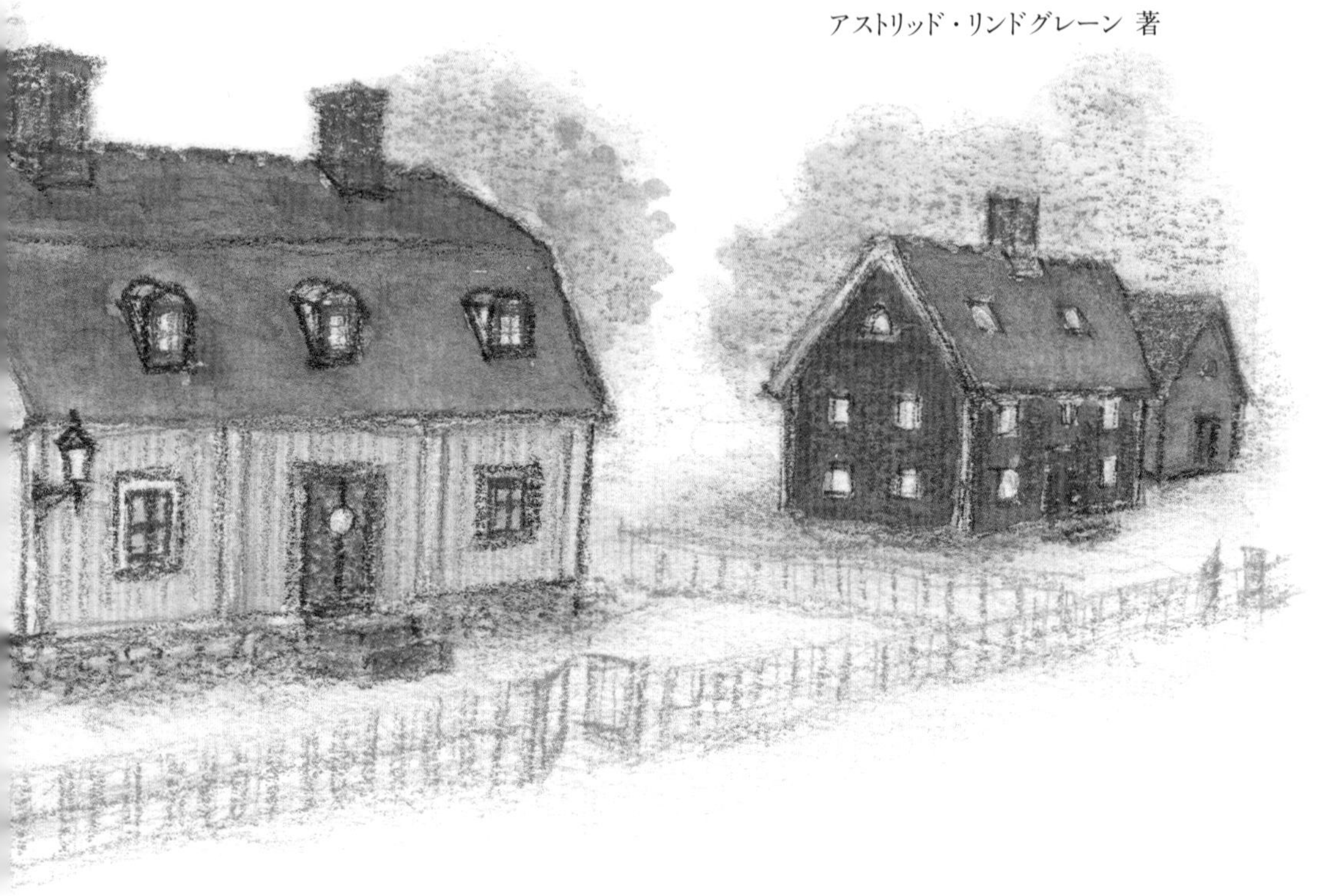

「ロッタちゃん」シリーズは、『長くつ下のピッピ』などを手掛けたスウェーデンの児童文学作家、アストリッド・リンドグレーンの幼年童話です。ロッタちゃん一家は、スウェーデン南部の平原地帯に暮らしています。町の中心は駅で、周囲に商店やマーケット、低層の集合住宅があり、少し離れて庭付きで戸建ての木造二階建ての家が点在するような小さな町です。

ロッタちゃんの家は二階建て。小さな門を入って5メートルほどで玄関です。遠目からだとかわいらしい家に見えますが、中に入ると意外と天井が高く、長身のパパでも背筋を伸ばして動ける造り。一階には、キッチン兼食堂、居間兼客間、浴室とト

黄色い家の側面図。
暖炉と煙突はこんな位置関係になっている。

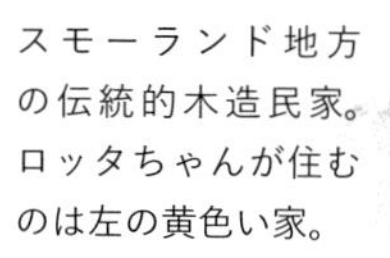

スモーランド地方
の伝統的木造民家。
ロッタちゃんが住む
のは左の黄色い家。

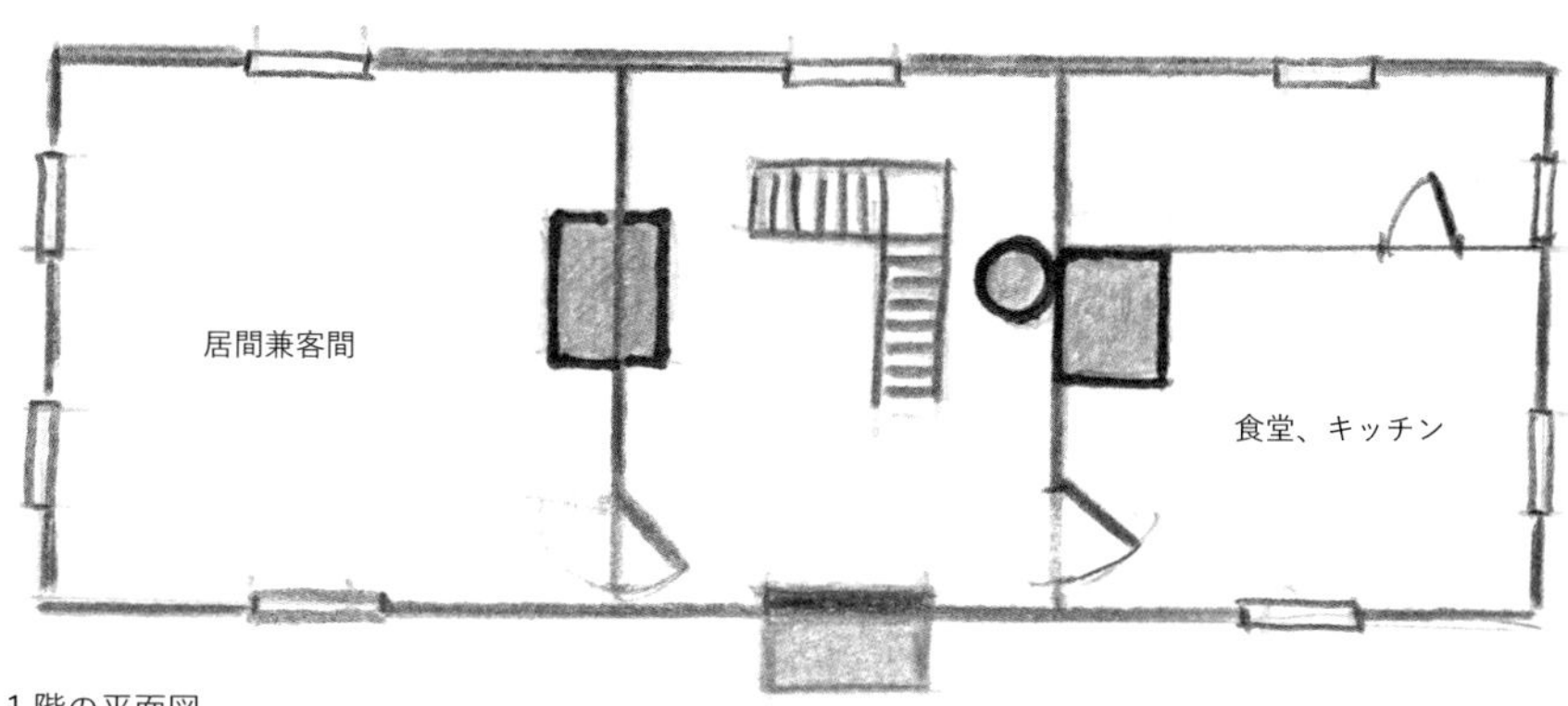

1階の平面図。

１階、玄関の左手にある居間。
部屋の主役は正面にある暖炉。

ロッタちゃんがこよなく愛する
ピンクの子豚、バムセ。どこに
行くにもバムセと一緒。

隣の家の屋根裏部屋に引っ越すことができたロッタちゃん。でも寝台で一人きりではさみしい。

イレがあり、キッチンのかまどは、壁を挟んだ反対側の玄関ホールと二階を暖めるストーブにもなっています。居間の暖炉も同じように煙突を通して二階の部屋を暖めます。二階には子ども部屋と、両親の部屋、予備室、トイレ、クローゼット。屋根が傾斜しているため、二階の壁も斜めで、張り出した窓がアクセントになっています。

子どもの心の動きを鮮やかに描く

『ロッタちゃんのひっこし』は、兄と姉にいじわるされた夢を見たロッタちゃんが、起きてからも機嫌を直すことができず、隣の家に引っ越すことを決意するという物語。隣の赤い家には、セーターを編むのが好きなおばさんが一人暮らしをしていて、

2階の子ども部屋。屋根裏ではないけれど、屋根の構造により天井部分は斜めになっている。もうすぐ眠るロッタちゃんと寝台が見える。

ロッタちゃんのシンプルなベンチ式の寝台。下に引き出し式の寝台スペースがあり、ここで眠ることもできる。普段は毛布などを入れている。

子どもたちが育った揺りかご。

ロッタちゃんに庭の物置の屋根裏部屋を貸してくれました。自分の部屋を持ったロッタちゃんは大喜び。ロッタちゃんが引っ越しを決意し、一人暮らしを楽しみ、我が家が恋しくなるまでの気持ちの動きや受け答え、顛末が面白いのです。まるで小さいロッタちゃんが作者に乗り移ったかのよう。夜になり、暗い寝台でさみしさをこらえるロッタちゃんを、パパが迎えにきます。子どもの心を傷つけないよう、やさしく家へと誘うパパ。子どもたちはみんな、このパパを大好きになることでしょう。この物語が何世代にも渡って子どもたちに愛され続けているのも、深く頷けるシーンです。

美しい自然の中で遊ぶ
幸福な子ども時代の日々
『やかまし村の子どもたち』

アストリッド・リンドグレーン 著

やかまし村は、赤い家が3軒だけの小さな村。

アンナ　ブリッタ（北屋敷）。

リーサ　ボッセ　ラッセ（中屋敷）。

オッレ（南屋敷）。

日本より広い土地に、日本の十分の一の人たちが住むスウェーデンの田舎では、家は基本的には離れて建てられています。でも、やかまし村の三軒の家は隣接しているため、真ん中の家に住むリーサのお父さんは、これらの家を建てた人は、もっと間を空けて建ててくれればよかったのに、と思っています。

北屋敷にはブリッタとアンナの姉妹、南屋敷には男の子のオッレ、中屋敷にはラッセとボッセの兄弟と女の子のリーサ、そしてそれぞれの両親が住んでいます。南屋敷と中屋敷の間には大きな菩提樹があって、屋根裏にあたる二階の子ども部屋の窓から枝を伝って行き来することができます。

中屋敷のラッセと南屋敷の
オッレは菩提樹の枝を渡っ
て行き来します。

中屋敷のリーサと北屋敷の
アンナ、ブリッタはヒモを
使って手紙のやり取り。

リーサ、7歳の誕生日。プレゼントはなに？

オッレはとうとう靴職人の
犬を貰いました。

夏、子どもたちは藁の敷かれた納屋で眠ることに。スウェーデンの夏は寒いのに。

仲良しの子どもたち

中屋敷のリーサは二人の兄と同じ部屋でしたが、七歳の誕生日に自分の部屋をプレゼントしてもらいました。村の子ども六人全員が集まれるほどの部屋です。

子どもたちは仲が良く、畑仕事の手伝いや学校で過ごす時間と行き帰り、インディアンごっこなどはみんな一緒です。でも秘密の小屋遊びや、納屋の干し草置き場でひと晩寝るといった遊びは男の子、女の子と別でした。犬好きのオッレが、靴職人から虐待されていた犬をもらい受け、その犬をきれいに洗ったときも、子どもたちはみんなで手伝いました。犬はオッレの寝台の下で眠るようになりました。

緑の木々は白い服に衣替え。

もうすぐクリスマスです。

一つの家としての共同体

この物語を読んでいて感じるのは、子どもたちと大人たちの距離の近さです。

季節ごとの農作物の収穫、飼っている家畜の出産と子育て、一人暮らしをしている人や、障害のある高齢者への励ましと支援、そして一年のうちでもっとも大切な行事の一つのクリスマスの準備など……。そうした日々のひとつひとつのことを、子どもも大人と一緒になって、きちんと担っているのです。

スウェーデンには、「国家は一つの家」という考えがあります。「やかまし村」はこの思想を、機智に富んだ楽しいお話の中で、体現しているように思います。

夏至祭は
夏の到来を祝う特別な行事
『やかまし村はいつもにぎやか』

アストリッド・リンドグレーン 著

子ヒツジを連れて
学校へ行くリーサ。

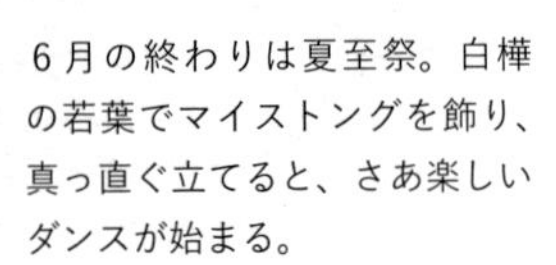

6月の終わりは夏至祭。白樺の若葉でマイストングを飾り、真っ直ぐ立てると、さあ楽しいダンスが始まる。

やかまし村はスウェーデンの南のほうにあります。春がくるのは四月で、この季節は一年でいちばんにぎやかな時期になります。牧場の動物たちは競うように子どもを産み、大人たちは毎朝、家畜小屋で生まれたばかりの動物の子どもたちを確認します。村の子どもたちも自分のお気に入りを見つけたり、名前を付けたりと大忙しです。

六月に入るとすぐに夏休み。夏の一番大切な行事は夏至祭です。村人がみんなで力を合わせて準備し、楽しむのです。まず森に入り、葉のついた白樺の小枝を集め、輪にします。それにリラ、タンポポなどの花を編み込み、高さ十メートルほどの柱、マイストングに飾り付けます。

アコーディオンの民俗音楽が鳴り

響くと、昔からの伝統衣装に着替えた大人たちが、マイストングをゆっくりと立てていきます。まっすぐに立ち上がったら、夏至のダンスの始まりです。大人も子どもも一緒になって、柱の周りを輪になって踊るのです。お腹がすいたら、味付けパンやクッキー、それにコーヒーがみんなにふるまわれます。

この日は、大人も子どもも一緒に遊ぶ日。やがて大人たちにはお酒も出され、子どもたちは、いつまでも暗くならない夜の中で、自分たちの遊びを眠くなるまで続けます。夏至祭は、一年に一日だけの特別な日なのです。

モミの木も森で調達する、素朴な手づくりのクリスマス『やかまし村の春夏秋冬』

アストリッド・リンドグレーン 著

家族みんなでツリーの飾りつけ。リンゴやクッキー、
ローソクなど、思い思いのものを飾る。

リーサのパパが、
切ってきたモミの木
を戸口から運び込む。

きょうだいを欲しがっ
ていたオッレに、とう
とう妹が誕生した。

やかまし村では、イブの数日前にみんなで森に繰り出し、ツリー用のモミの木を伐ります。それぞれの家のためと、それから二人の老人のために。お母さんたちはクリスマス・ハムやソーセージ、パンなどの料理に取り掛かります。

イブの日の朝、子どもたちは老人の家を訪問し、クリスマスツリーを飾り付けます。ハムやクッキーなどのクリスマス料理、それにみんなからのプレゼントをいっぱい並べて、踊ります。

ようやくうちに帰ってクリスマスツリー作り。人形やロウソクやいろいろな旗で飾り立てます。来年のクリスマスは、今年生まれたオッレの妹も加わり、さらに楽しくなることでしょう。

ガチョウの背中から見下ろす
スウェーデンの原風景
『ニルスのふしぎな旅』

セルマ・ラーゲルレーヴ 著

ニルスが赤ん坊の時に寝ていたロッキングベッド。冬は凍えてしまうので、使うのは夏場だけ。

まだ小人にされる前の、いたずらっ子ニルス。

物語の舞台はスウェーデン全土。面積は日本のおよそ一・二倍、南北一五〇〇キロほどの国です。主人公のニルスは十四歳。南端のスコーネ地方の農家の生まれで、ひねくれた心の持ち主でした。ニルスは両親が教会へ出かけたあと、農家の守護妖精のトムテをいじめたため、小人にされてしまいます。

小人になったニルスは、動物たちの言葉がわかるようになります。そして家で飼っていたオスのガチョウのモルテンが、渡り鳥のガンに誘われて空に飛びたとうとしたとき、捕まえようとして、そのまま空へと持ち上げられてしまいます。こうしてニルスの長い空の旅が始まったのでした。

ニルス少年が育った白塗りの小さな木造の家。茅葺き屋根は、スコーネ地方の農家でよく見られる。

農家の内部。ニルスの家は貧しく、簡素な作り。

穀倉地帯の豊かな光景が広がるスコーネ地方

スウェーデン各地を描く

私が初めてスウェーデンを旅したのはスコーネ地方でした。物語にも登場するグリミンゲ城では、民族衣装で着飾った人たちが華やかな結婚式を挙げていました。ニルスの時代は荒れ果て、ネズミとコウノトリしか住んでいなかったと言われるこの城ですが、デンマークの教会建築でよくみられる階段形の切妻屋根がきれいに修復されていました。ヴァードステナでは、乗っていた船が城の壕で一泊したので、円形の見張り塔や天守閣を見ることができました。また、ストックホルムの近くのグリップスホルム城では、王室所有の絵画を鑑賞することもできました。

作者ラーゲルレーヴは、スウェー

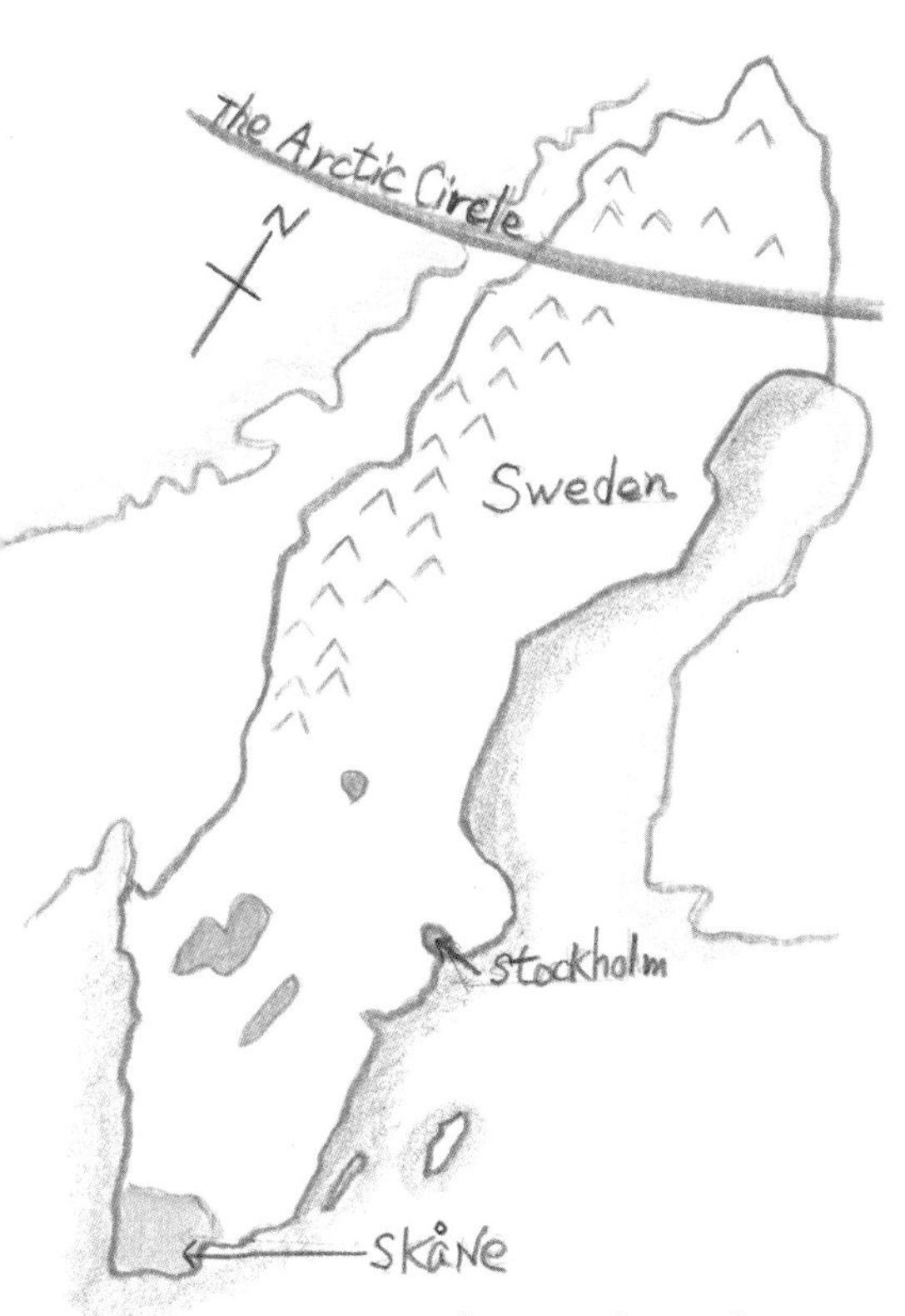

南のスコーネから北極圏の北のラップランドに向かう。目指すのはスウェーデンの最高峰、ケブネカイセ山。

ニルスの家にはガチョウ、鶏、牛などの家畜がいた。

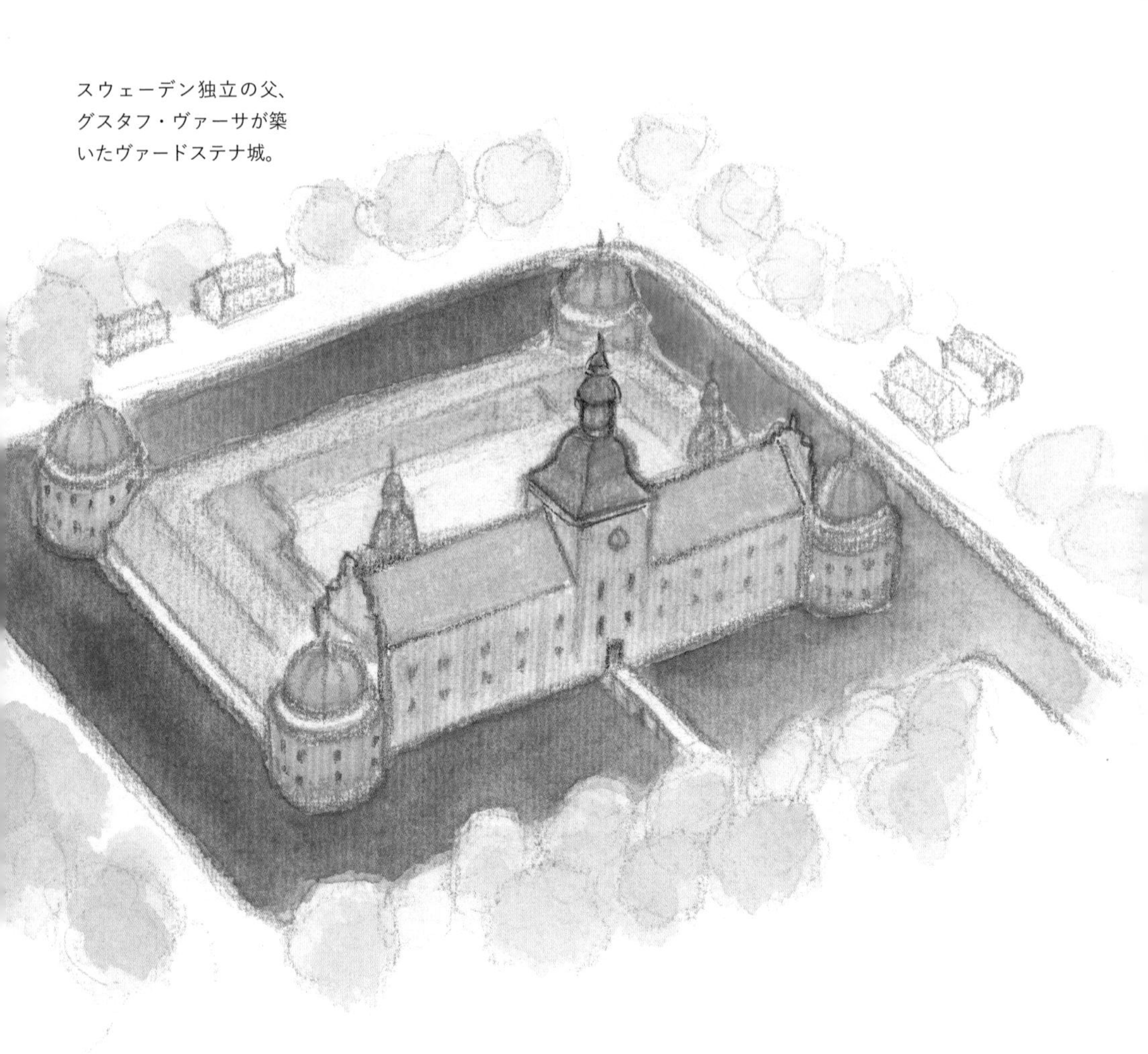
スウェーデン独立の父、グスタフ・ヴァーサが築いたヴァードステナ城。

デンの教育機関から、学校教育で使える自国の地理や歴史を解説した小説を書いてほしいとの依頼を受け、この物語を執筆しました。これがいかに大変な仕事だったかは、読んでみるとわかります。各地の調査から得られた事実や、拾い出した多くの伝説や昔話、鳥や動物たちの生態、物語の軸となる新しいエピソード……。これらを組み合わせ、スウェーデンの南端から北端までを旅するガチョウやガン、コウノトリやタカたちに乗せて、一つの物語として織り上げた努力には頭が下がります。

ラーゲルレーヴは、この土地は人間だけのものではない、動物や鳥、昆虫などの生きものたちも共に生きているのだ、とガンの頭領アッカに語らせています。多様な生きものが

物語にも登場するグリップスホルム城。もともとは14世紀に要塞として建てられた。

ニルスたちが灰色ネズミと戦うグリミンゲ城。ぎざぎざの屋根の形が特徴的。

豊かに暮らせる環境を守らなければ、それはやがて人間にも返ってくると警鐘を鳴らしたのです。二〇一八年にスコーネを訪問したとき、絶滅したと言われていたオオカミが近くの森に姿を見せたと聞きました。スウェーデンの人たちは、この偉大な作家の教えをしっかり受け止めているのです。

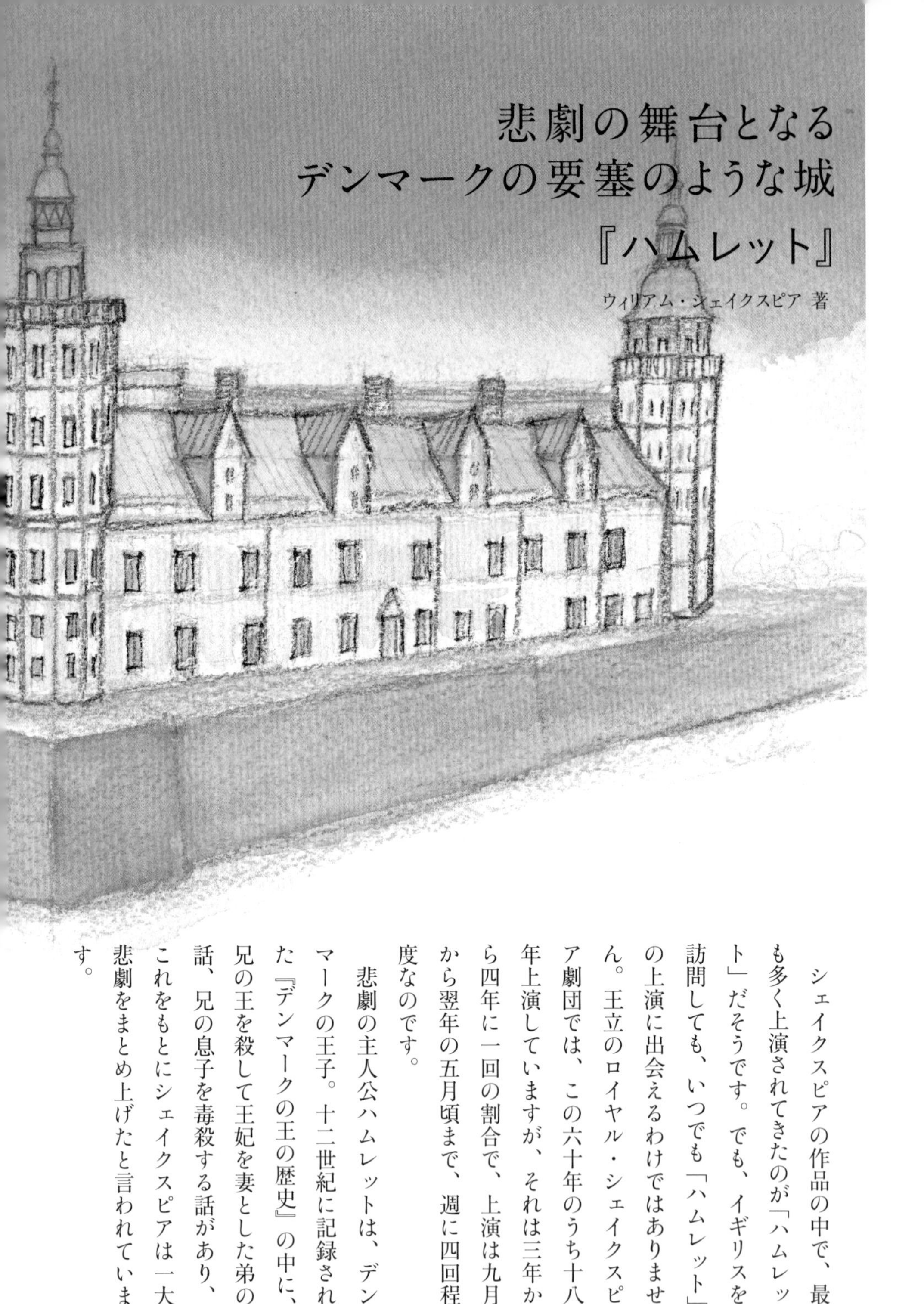

悲劇の舞台となる
デンマークの要塞のような城
『ハムレット』

ウィリアム・シェイクスピア 著

シェイクスピアの作品の中で、最も多く上演されてきたのが「ハムレット」だそうです。でも、イギリスを訪問しても、いつでも「ハムレット」の上演に出会えるわけではありません。王立のロイヤル・シェイクスピア劇団では、この六十年のうち十八年上演していますが、それは三年から四年に一回の割合で、上演は九月から翌年の五月頃まで、週に四回程度なのです。

悲劇の主人公ハムレットは、デンマークの王子。十二世紀に記録された『デンマークの王の歴史』の中に、兄の王を殺して王妃を妻とした弟の話、兄の息子を毒殺する話があり、これをもとにシェイクスピアは一大悲劇をまとめ上げたと言われています。

物語の舞台となったクロンボー城。北欧のルネサンス様式の傑作とされている。

物語の舞台となったクロンボー城

この悲劇の舞台になったクロンボー城は、デンマークのヘルシンガー（英語名エルシノア）にあります。バルト海を挟んでスウェーデンの町の明かりが見えるほど、スウェーデンは目と鼻の先です。この城はオアスン海峡を管理するために十五世紀に建てられ、十九世紀半ばまで通行する船から税金を取り立ててきました。火災や戦争で破壊されましたが、通行税で財政は豊かだったので、何度も改修されています。

濠と城壁に囲まれた威容

基本の形は、オランダの建築家によるもので、デンマークのルネッサンス建築の一つとして世界遺産に登

岬の先端に立つクロンボー城は、海峡で外国船から通行税を取りたてる《砦》の役割も果たしていた。

オフィーリアとその兄レアティーズ。

録されています。砦を囲む壕は三つあり、壕ごとに検問所があったようです。最後の壕を渡って内城壁の入口をくぐると、左上へ導かれ、広い中庭に出ます。ここに唯一の井戸があります。

一階の礼拝堂は、十八世紀から十九世紀にかけて軍隊のフェンシング訓練場に改修されたあと、復元されました。その上の二階の舞踏室は、ドアや暖炉周辺の装飾、タイルの床と木製の天井が印象的です。隣の支度室には十六世紀に織られた大きなタピストリーと、コペンハーゲンのローゼンボー宮殿から持ってきた戦闘の絵画が飾られています。

城といっても、国王がここを居城にしたことはほとんどないようです。海峡を吹きすさぶ強風が、王族には

耐えられなかったのでしょう。

臨場感たっぷりの「ハムレット」観劇

この城の外庭で、毎年夏に英語版の「ハムレット」が上演されています。夏の間だけ、特別に野外劇場が設けられるのです。私はヘルシンガーの学校で学んでいたことがあり、この英語版の「ハムレット」を見る機会に恵まれました。お芝居を、元の物語の舞台となった場所で見るのは初めての経験です。

八月だったので、半袖で出かけました。チケットを見せると、毛布を渡されたので、悪い予感がしました。陽が暮れると、海からの風が足元から吹き上げてきます。「何しろひどい寒さだ」というのが開幕後すぐの

義父クローディアスの様子を
伺うハムレット。扉の上部に
は華麗な装飾が。

壕をわたって、正門から入城する。

内城壁から中に通じるダーク門。1577 年に造られた。

毒入りのワインが入ったゴブレット。

見張りの台詞で、この状況にぴったりでした。毛布をしっかり肩からかけなおします。とにかく寒い。"To be, or not to be"の台詞を待ち焦がれつつ、腕をさすりながら何とか耐えましたが、野外での三時間余の観劇は、より悲劇的と付け加えておきましょう。

「現実を変える力をもったリンドグレーン作品」

右と左で柄の違う靴下をはいた少女ピッピ。力が強く、いじめにも負けない。自由で奔放、両親がいない孤児だけど暗さはない。この作家に惹かれたのは、『長くつ下のピッピ』を読んでからです。続いて「やかまし村」や「ロッタちゃん」のシリーズなどを読み進み、とうとうリンドグレーンの故郷であるスウェーデンのヴィンメルビィまで行きました。彼女の生家も訪れました。「やかまし村」に登場するような、かわいい家でした。

ヴィンメルビィはスウェーデンの南東部に位置します。平地に低い丘が連なり、小さい湖と小川、森が入り組む美しい風景の広がる土地です。やかまし村は丘の上にありますし、ラッセが凍った湖に落ちた話も、こういう土地だからこそ生まれたのでしょう。酪農家が多く、羊や牛、ニワトリなどの動物たちとの触れあいも日常的です。子どもたちはリンドグレーンの作品さながら、遊んだり、大人の仕事を手伝ったりの日々。

しかし、スウェーデンの映画や演劇、小説は、家族の葛藤、復讐、孤独などの暗いテーマを扱うことも少なくありません。リンドグレーンもしかりです。彼女は未婚のシングル・マザーであり、子どもを里親に預けるといったつらい経験をしています。リンドグレーンの作品は明るく楽しいお話ばかりではなく、高齢者との共存、動物虐待への批判など、社会的な問題もちりばめられています。『ミオよ　わたしのミオ』では、孤児で義理の父母からいじめられれる主人公ミオの姿を、ファンタジーの形式を借りてやさしく描き出しています。スウェーデンのカロリンスカ大学病院にある被虐待児治療部門はミオと命名されていますが、これは虐待を受けた子どもに「ここは君の味方だよ」と呼びかけるためです。児童文学が、実際の社会の中でも役にたっているひとつの例のように思えます。

異国の暮らしに触れる

寒い冬を耐え抜くための丸太小屋
『大きな森の小さな家』

ローラ・インガルス・ワイルダー 著

丸太を組んで重ねた、がっしりとした家。雪が多いので屋根の傾斜は急になっている。風雪に耐えるよう、窓は小さ目。

いまや世界一の大国となったアメリカの、一八七〇年頃の森での暮らしを今に伝える物語です。舞台はアメリカの五大湖の西側、寒さが厳しい内陸部。周囲数キロには人家がなく、ピューマやオオカミ、グリズリー、モモンガなどがすむ深い森に閉ざされています。

森には野生動物がいっぱい。オオカミもいる。

月明かりにうっすら見える「小さな家」

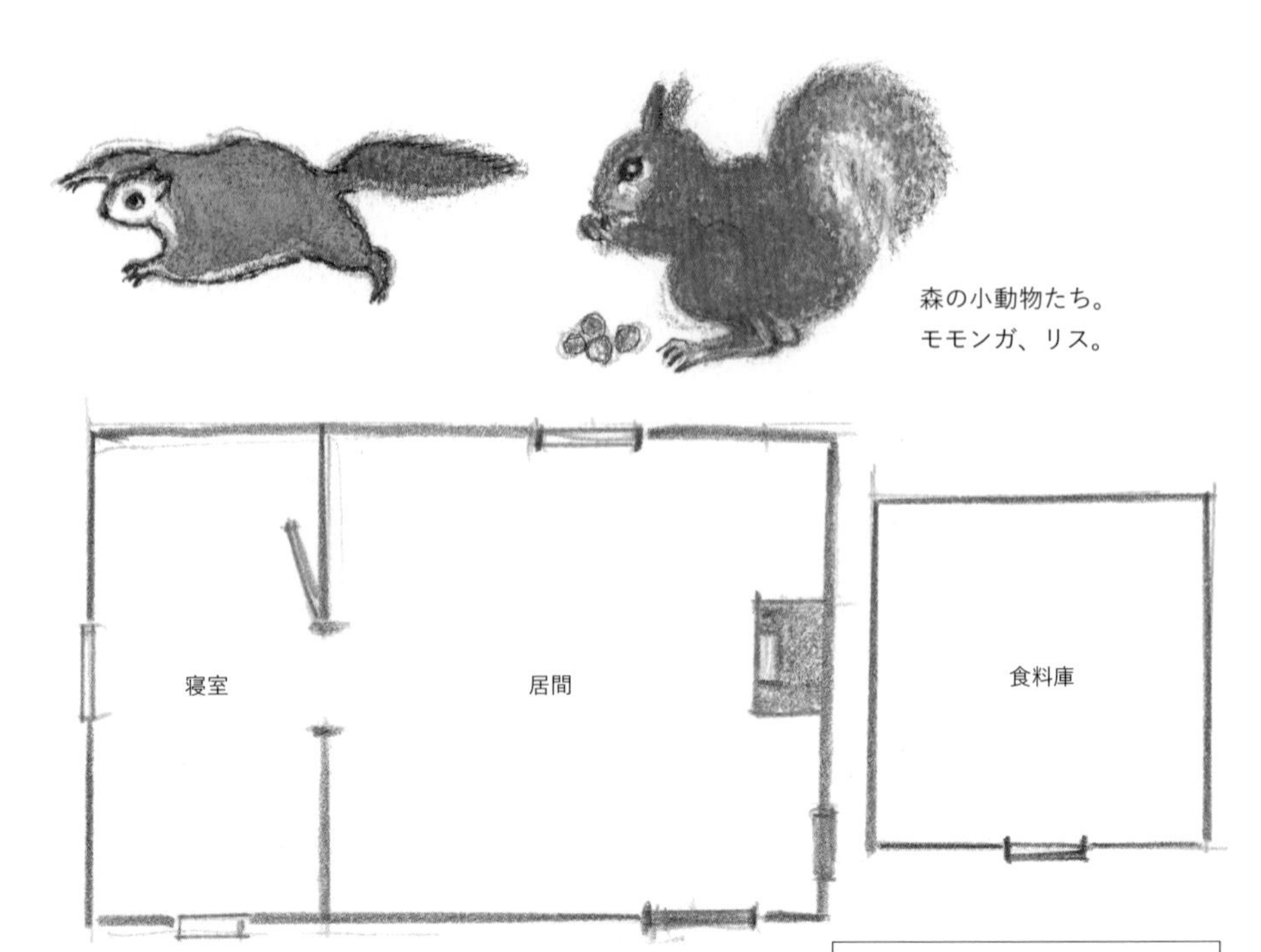

森の小動物たち。
モモンガ、リス。

家の平面図。みんなで過ごす居間と小さな寝室。それに食料庫。

森の動物たちと共に生きる住まい

森の秋の実り、ベリーとキノコ。たくさん採って、冬に備えて保存する。

ウサギ。これは夏服。
冬には雪と同じ白い
色になる。

食料の匂いに引かれて、
キツネが人間の住みかに
立ち寄ることもある。

居間の一角、ストーブがある光景。
右手ドアから食料庫に行く。

家は丸太を井桁(いげた)に積み上げたログハウス。交差部は切り込みを入れて噛み合わせます。作者のローラ・インガルス・ワイルダーの先祖はスコットランド系移民ですが、一九世紀半ばから、食糧不足のスウェーデンとフィンランドからの移民が急激に増え、森の中には北欧風ログハウスが多くなりました。

クマはとても怖い。走るのも速いし、爪も牙も鋭い。この辺りには300キロもある巨大な熊、グリズリーがいる。

働き者の両親、姉のメアリーとまだ小さい妹のキャリー、そして語り手のローラ。

厳しい時代の貴重な記録

家の中には居間とキッチンを兼ねた広い部屋が一つと、隣に寝室。屋根裏には物置と予備の寝室を兼ねた部屋が。外の小屋では、穀物などの食料を保存していました。父親はクマやシカなどの動物を狩り、湖で魚を獲ります。肉や魚は加工し、毛皮はなめして町へ売りに行きます。母親も家事の合間にチーズやバターを作り、休む暇がない忙しさ。ローラも姉と遊びながら、父母を手伝い始めるのでした。

ワイルダーは六四歳のとき、こうした過酷な時代を経て、いまがあることを知ってほしいと、この物語を書きました。当時の生活の貴重な記録にもなっています。

長い冬の間、家族の足と
なる丈夫な橇と馬。

この物語はやがて「大草原の
小さな家」へとつながってい
く。草原を行く一家。

気難しい家庭教師が采配をふるう
ヴィクトリア様式の家
『メアリ・ポピンズ』

P・L・トラヴァース 著

バンクス邸の正面。ヴィクトリア様式の住宅は少々ゴテゴテして見えるが、凝った装飾が面白い。

バンクス邸の玄関ホールにさっそうと
現れるメアリ・ポピンズ。

ロンドンのさくら通り十七番地のバンクス家に、養育係としてやってきたメアリ・ポピンズを巡る物語です。さくら通りの中で一番小さなバンクス家は、ヴィクトリア朝時代に建てられたものではないでしょうか。ヴィクトリア朝は、産業革命の最盛期。建築様式はギリシャ、ルネッサンス、ゴシック、アジアや中東趣味などが混在し、玄関や窓回りに装飾をつける例が多く見られました。

建物の全体図

客を迎える
優雅な吹き抜けの
玄関ホール
原作には、メアリ・ポピンズが
階段の手すりに腰かけてすべり
のぼっていくという描写がある。

父親の書斎。本がいっぱいあるが、読むためというよりインテリア。

バンクス家の日常

バンクス家の向かいには元海軍のブーム提督が住む船のような家があり、隣には門が二つあるラークおばさんの邸宅があるというのですから、さくら通りは上流階級の住宅街でしょう。夫妻には、ジェインとマイケルの姉弟、双子の赤ん坊ジョンとバーバラの子どもたちがいて、四人の使用人を雇っていました。

父親は銀行家で、一階に図書室兼

居間の一隅にあるテーブル。

子どもたちの生活の
場は二階。専用の居
間で食事をする。

書斎があります。子どもは入ってはいけないと言われていましたが、マイケルはときどき入って、インクをこぼしたりしたようです。

子どもたちは、両親と一緒に食事をしませんでした。朝食も夕食も子ども部屋で、養育係のメアリと一緒。料理は半地下にある台所で調理人が作り、配膳人が二階の子ども部屋まで運びました。物語の最後の日、つまりメアリが去る日、子どもたちは、初めて朝食を一階の食堂でとることを許されたのでした。

子ども部屋は食事の他、読書や勉強をする部屋でした。寝室は別にあって、姉のジェインと弟のマイケルが一緒に使い、メアリは隣室の双子の寝台の間に、自分の寝台を置いていました。二階には浴室と化粧室

子ども部屋は2部屋ある。年上の姉弟の部屋には洋服たんすなどの家具もそろう。となりは双子の寝室。

傘をさしたまま空のかなたへ去っていくメアリ・ポピンズ。

もあり、父親は毎朝、女中に、髭剃り用のお湯を運ばせています。

不愛想で怒りっぽく、気取り屋のメアリですが、たくさんの不思議な仲間たちに囲まれ、誰からも愛されています。メアリの個性的なキャラクターは、ジェインとマイケルはもちろん、いつの間にか世界中の子どもと大人の心を虜（とりこ）にしてしまっていました。

舞台となるギムナジウムは、ヨーロッパ諸国に多い中等教育機関。

少年たちがともに学び暮らすドイツのギムナジウム
『飛ぶ教室』

エーリッヒ・ケストナー 著

舞台となったのは、ドイツの片田舎の町キルヒベルク。木骨造りの美しい建物がいくつも並び、中世の街がそのまま残っているかのようです。土や石の上に淡い色の漆喰が塗られた外壁と、濃い色の木の骨組みのコントラストがとても美しい。三、四階建ての三角屋根の家が、こちらの通りにもあちらの通りにも、ずらりと並びます。

『飛ぶ教室』は、このキルヒベルクの町の寄宿制の男子進学校の生徒たちと、それを取り巻く人々が織り成す、成長や葛藤を描いた物語です。学校は町はずれの丘の上にあり、夜になると明かりがついた校舎は船のように見えます。生徒は一年生から九年生までで、二百人ほど。一学年は一クラスで、二十人強。教室と音

寄宿舎の簡素な寝室。多くの子どもたちは休暇のときだけ家に帰る。

楽室や図書室は校舎の下の階にあり、校庭には体育館もあります。校舎の上の階が寄宿舎になっていて、自習室と寝台が並ぶ広い寝室があります。らせん階段を上がった塔の最上階は舎監のベク先生の住まい。先生もかつてこの学校で学んだ先輩で、みんなに慕われています。

少年たちの友情を描いたケストナーの傑作

作品名は、この学校の五年生のクラスの五人が、クリスマスに上演した「飛ぶ教室」という芝居にちなんでいます。彼らは、困りごとがあると、市民農園に住む「禁煙さん」に相談していました。禁煙さんは国鉄から払い下げた禁煙車で暮らしている元医師。妻と子を伝染病で亡くし、

学校の隣にある市民農園には、廃車になった鉄道の客車に「禁煙さん」が住んでいる。

失望して世捨て人のような生活をしていたのでした。

クリスマスの日、芝居は好評で終わりますが、親が失業中のマルティンは家に帰るお金がなく、心が乱れてうまく演技することができません。心やさしいベク先生は、彼に汽車賃を渡し、帰省できるように計らいます。故郷に帰ることのできたマルティンは、流れ星にすべての人の幸せを願うのでした。

伝統ある街並み、先輩から後輩へと受け継がれていく気風、連帯と団結の中で、明るい未来へと努力していく人々の姿が、多くの人の心をとらえてきた小説です。

命をかけた作家の叫び

しかし、ケストナーがこれを書い

客車は二等の「禁煙車」。白いプレートはそのまま残っている。

秋の校内ではリスも冬の準備中。

たのは、ナチスが政権を取った年でした。彼は物語の至るところに、自身の思いを散りばめています。「ごまかされないでほしい」「よく学んでほしい」「へこたれるな、くじけない心をもて」……、何度も繰り返されるそれらの言葉は、作家の悲痛な叫びのようです。なかでも胸を刺すのは、「平和を乱すことがなされたら、それをした者だけでなく、止めなかった者にも責任はある」という言葉です。当時の世相を考えると、どんな覚悟でケストナーがこれを書いたのかは想像するに余りあるでしょう。この言葉は、ケストナーが作家として、自分自身に向けた決意表明のように、私には思えてならないのです。

特別な空気に包まれたクリスマスの街

夜のキルヒベルク。こんな時間に
街を走るのは、もちろん校則違反。

少年たちが脚本を書き、演じる
クリスマス劇「飛ぶ教室」。

大好きな舎監のベク先生と。

広大な荒野の彼方に現れる
古くて大きなお屋敷
『秘密の花園』

フランシス・ホジソン・バーネット 著

荒れ地（ムーア）に建つ、人を
寄せつけぬような伯父の屋敷。

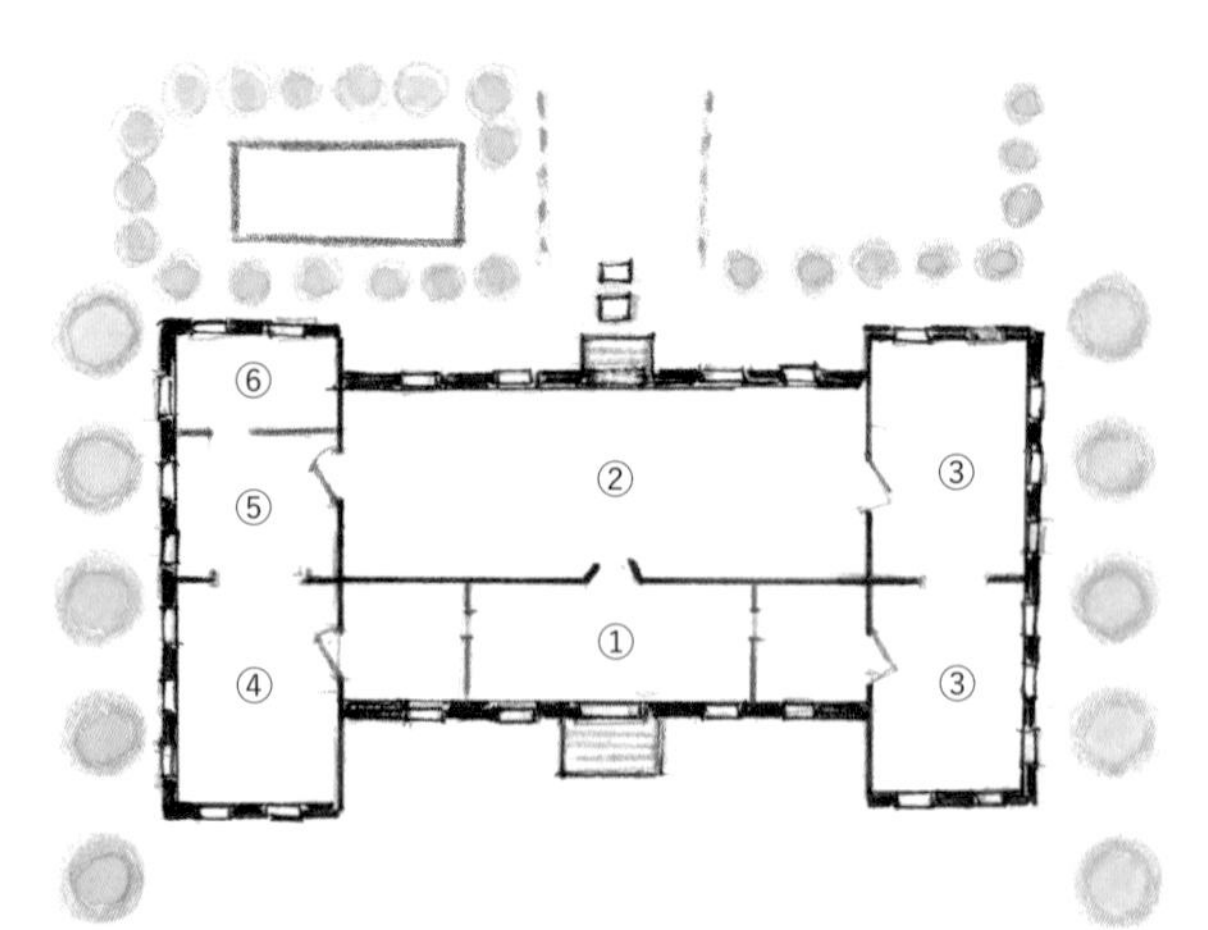

館の平面図
（1 階 グラウンドフロア）

① エントランスホール
② 大広間
③ 食事室
④ 広間
⑤ 広間
⑥ 広間控え室

図書室は本を読んだり調べ物をしたりするだけでなく、もうひとつの応接室でもあった。そして時にはこんな隠し扉もあった。

物語のはじまりはイギリス統治下のインド。疫病によって両親を失った主人公メアリは、伯父の住む英国ヨークシャーへと送られます。伯父は広大な館を持ちながら、十年前に愛する妻を亡くし気力を失い、息子コリンも放置して、旅に慰めを見出す日々を送っていました。

荒涼としたヒースの大地の向こうにそびえる伯父の館は築六百年、百の開かずの部屋があるといいます。かび臭いに違いありませんが、子どもでなくとも探検したくなるでしょう。メアリは館に図書室があると聞いて、探索に出ます。当時の図書室は羊皮紙で装丁された書籍がずらりと並び、領主の知性を示す場でもありました。訪問客を接待することもあったので、ゆったりとしたソファ

使用人たちの住む「下の階」

半地下部分を
外から見たところ

この時代は上の階（館の住人）と下の階（使用人）では暮らしがはっきりと別れていた。上に人の気配が無くても、下ではみんな忙しい（料理、洗濯、繕い物）。

二つの世界をつなぐのが呼び出し用のベル。上の住人は用事があると、部屋の隅のヒモを引っ張る。下の住人はベルの音でプレートを見て、誰が呼んでいるか分かる仕組み。

病弱な少年、コリンの大きな天蓋つきの寝台。

ーセットも置かれています。領主が仕事から帰ったあと、その日の夕方に届いた新聞に目を通すのもこの場所でした。

館の上の階は、領主の家族が住んでいます。その暮らしを支えるのが、建物の半地下で働く使用人たち。窓の上部からわずかに外が見える部屋で、召使、料理人、庭師、馬車係などが住み込みで働いています。

メアリの部屋の椅子。大きいので足が下に届かないが、いばりん坊さんはお気に入り。

作者が願ったあるべき世界

作者バーネットは、若くして『小公子』、『小公女』などの小説を書いて有名になり、大きな屋敷に住んだことがありました。二度の離婚、息子の病死など、つらい経験もしました。メアリとコリンは、いまで言うネグレクトの被害者です。親の愛を知らない子どもたちが、使用人のマーサや弟のディコンたちと、階級の壁を取り払い、一緒に秘密の花園をよみがえらせるのです。晩年を迎えたバーネットは、この作品で自身が望んだあるべき世界を描ききったように思えます。

屋敷の裏手に広がる庭園。手前に、長い間手入れがされてない部分がある。

元気に歩くようになったコリン。人の優しさと太陽と風が、少年の閉ざされた心を開いていく。

メアリの初めての友達、野鳥のコマドリ。

清涼なアルプスの空気に包まれた山小屋『ハイジ』

ヨハンナ・シュピーリ 著

石壁に丸太組みの頑丈な山小屋。厳しい冬も中は暖かい。

両親を亡くした少女ハイジが、アルプスの山小屋に住むおじいさんに預けられ、大自然の中で生き生きと暮らす物語です。

標高一〇〇〇メートルの山小屋の姿は、小説では具体的には描かれていません。私の想像では、一階はすきま風を防ぐために漆喰を塗ったレンガと石の壁、上部は丸太組みで、屋根には石の瓦を乗せています。中に入ると仕切りのない広い居間で、右手に一人用の食卓と椅子、奥に暖炉と台所、左手に寝台、その横に屋根裏へのはしごがあります。屋根裏にはハイジの寝台と干し草だけ。山小屋の眼下にはハイジが生まれた村、さらに下に温泉保養地があり、その向こうにアルプスの山々が見えます。花が咲く草原には、白や茶色の羊た

アルプスの山々に朝がやって来た。
光を楽しむハイジ。

二匹のヤギと
質素な暮らしを営む
山小屋

山小屋の内部。カマド、食卓、寝台など、
生活に最低限必要なものだけ。

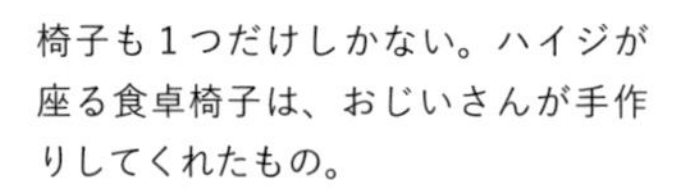

椅子も１つだけしかない。ハイジが
座る食卓椅子は、おじいさんが手作
りしてくれたもの。

2階の屋根裏。藁をまとめてシーツでくるんだのがハイジの寝台。

ちがたたずみ、鷹が空を舞う。

心に傷を持つ人も、身体が不自由な人も、この大自然の中にいれば、健やかになれる。かつてスイスは貧しく、外国に出稼ぎに行ってホームシックにかかる人が多かったそうです。フランクフルトで家恋しさに病気になってしまうハイジの描写も、そんな歴史を反映しているのかもしれません。

世界中の少女が憧れる 切妻屋根の家

『赤毛のアン』

ルーシー・モード・モンゴメリ 著

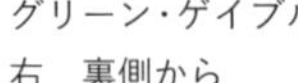

アンが引き取られた
グリーン・ゲイブルズ。
右　裏側から
左　家の俯瞰

アンの子供時代。
この頃の子供はエプロンをしていることが多かった。

成長したアン。
袖は憧れのパフスリーブ。

十九世紀末のカナダ、プリンス・エドワード島を舞台に繰り広げられる、孤児だった少女アンの成長物語です。アンは、持ち前の豊かな想像力と、激しくも率直な生き方で、次第に周りの人々の心をとりこにしていきます。

アンが引き取られたのは、グリーン・ゲイブルズと呼ばれる緑色の切妻屋根の家。住人はマシューとマリラの兄妹です。マシューは暖炉の前の揺り椅子で過ごすのがお気に入りという、地味な性格。アンを男の子だと思って迎えに行った駅からの帰り道、饒舌なアンの話にすっかり惹き込まれてしまいます。妹のマリラもまたアンを気に入りますが、甘やかさず育てなければとの思いから、アンには素直に愛情を伝えられない

グリーン・ゲイブルズの間取り

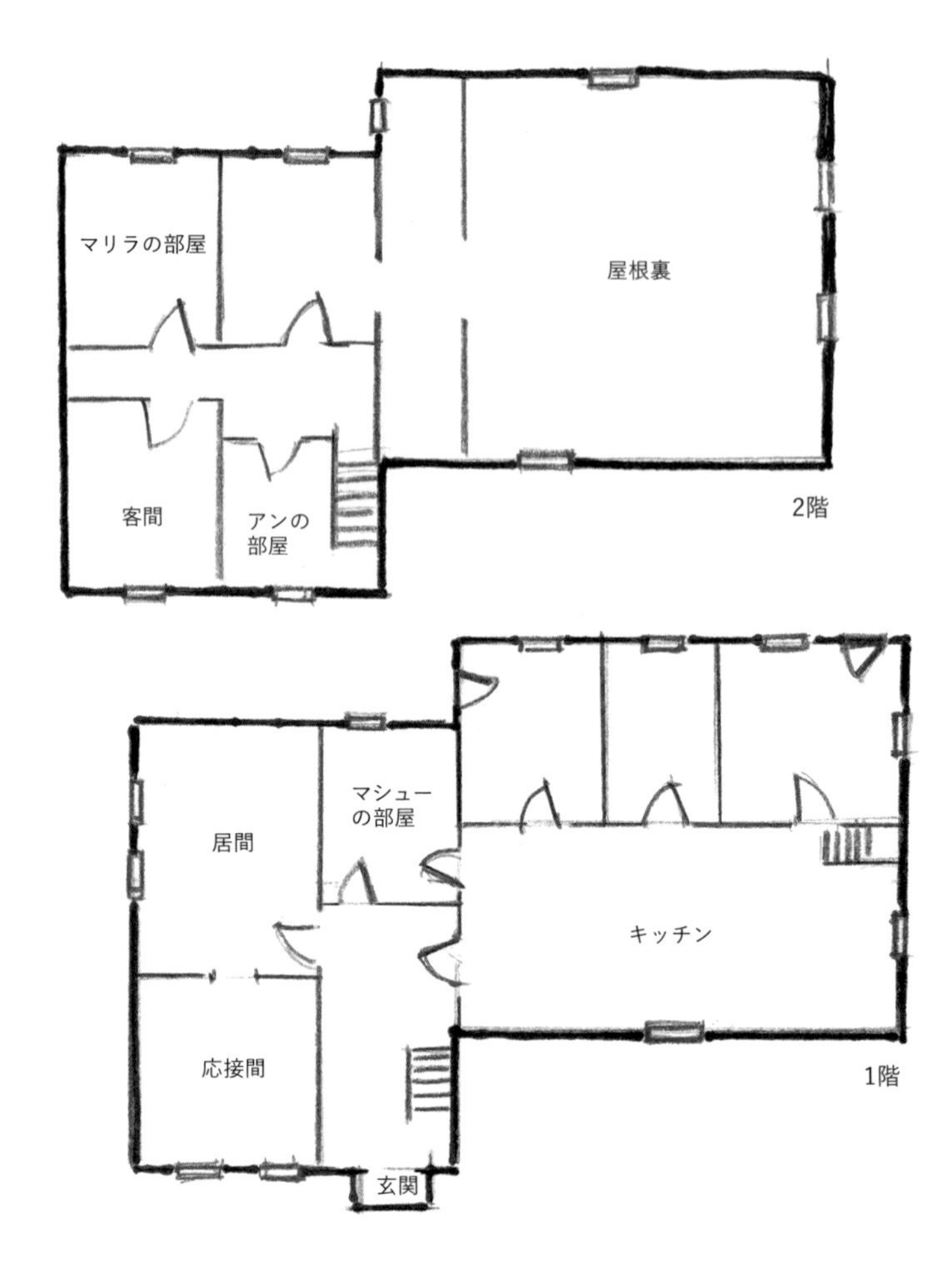

のでした。

初めての自分だけの部屋

グリーン・ゲイブルズには、一階にマシューの部屋、キッチンと居間、応接間があり、二階にマリラの部屋、客用の寝室、屋根裏の物置などがありました。アンはここで生まれて初めて自分の部屋を持つことになります。寝台と洋服ダンスがあるだけの、なんの変哲もない、屋根の切妻部分の空間。でも、アンはここを少しずつ乙女らしい、夢のある部屋へと変えていきます。この頃のカナダの家具は、イギリス仕込みの重厚なライティングデスクや、ブナなどの木に装飾した椅子、北欧の移民が持ってきた衣装箱、アメリカ製の正統派のランプなどが主流だったようです。

質素だけど乙女らしいアンの部屋。

1階の居間にある暖炉。マシューが揺り椅子でパイプをくゆらせる場所です。

作者モンゴメリの暮らした時代

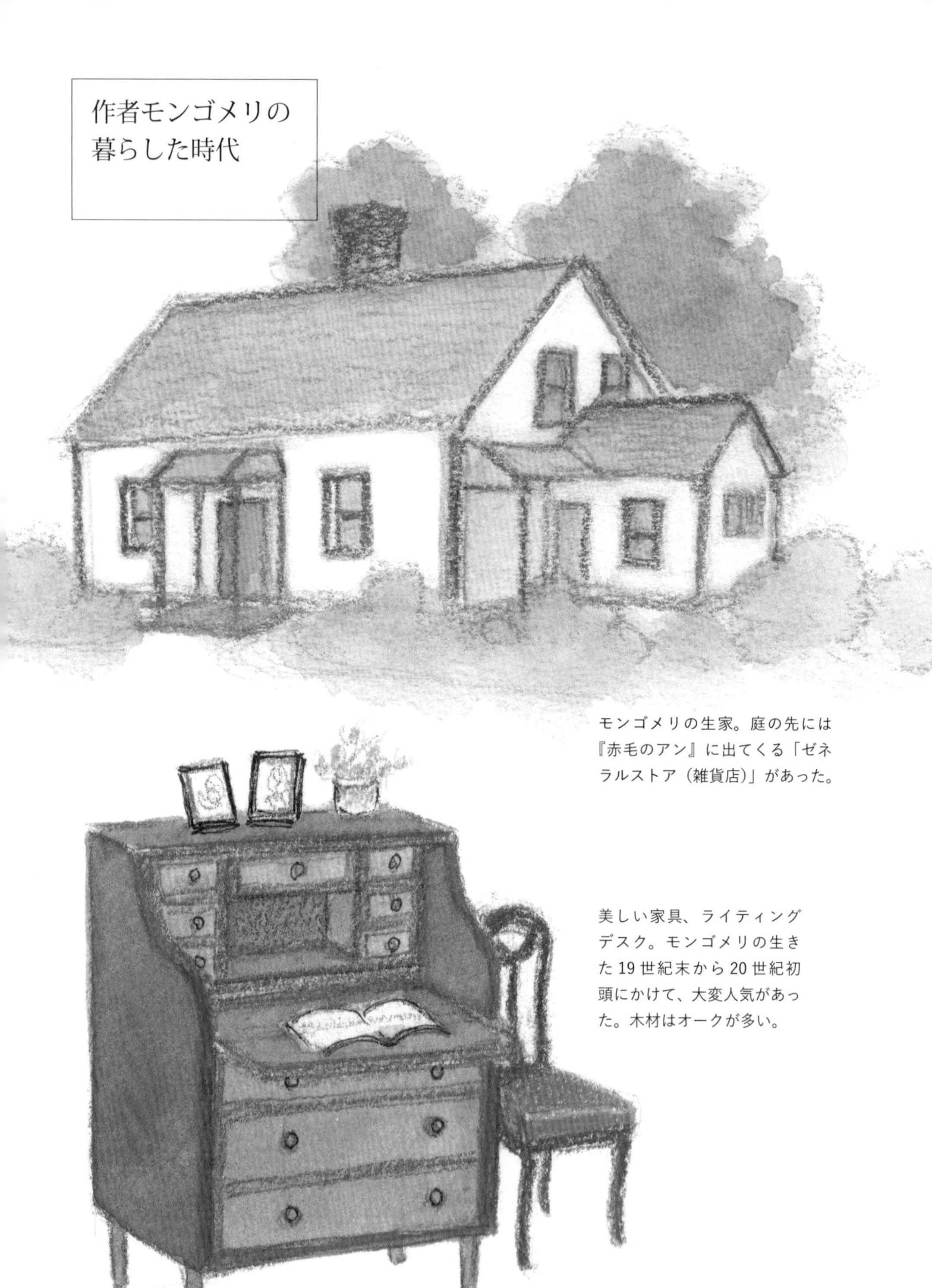

モンゴメリの生家。庭の先には『赤毛のアン』に出てくる「ゼネラルストア（雑貨店）」があった。

美しい家具、ライティングデスク。モンゴメリの生きた19世紀末から20世紀初頭にかけて、大変人気があった。木材はオークが多い。

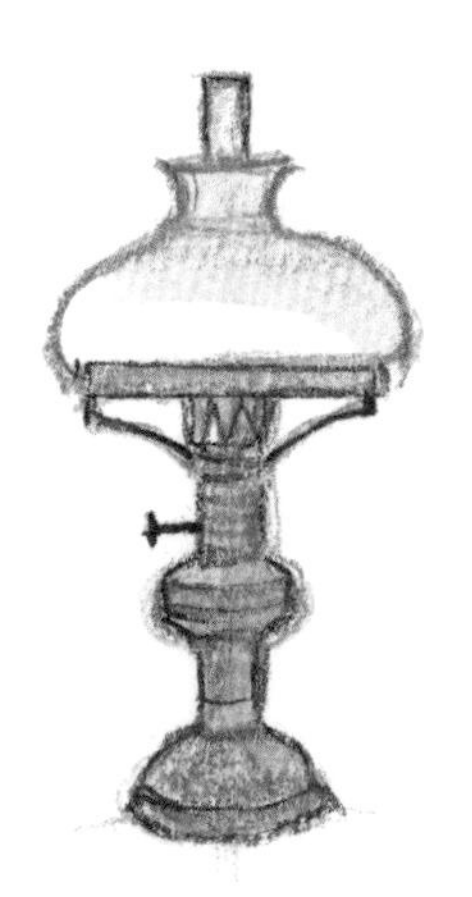

いろいろなランプ。

結婚の際に花嫁の家が用意する手作りの衣装箱。凝った絵柄が描き込まれていることも多い。元はヨーロッパの伝統的家具だが、次第にすたれていったヨーロッパとは逆に、カナダでは大切にされた。

でも、質素を好んだマリラのもとでは、アンはそんな部屋をただ空想するしかなかったことでしょう。

「世界中の人に愛される物語の舞台」

作者のモンゴメリは、作品の舞台であるプリンス・エドワード島の生まれ。一歳で母と死別し、父とも別居して、厳しい祖父母のもと、島の美しい自然の中で育てられました。こうした経験が作品のアイデアとなり、若くして学んだイギリス文学や詩についての知識も随所に生かされています。現在、グリーン・ゲイブルズのモデルになった家や、モンゴメリが生まれた家は、観光スポットとなり、毎年世界中から多くの人々が訪れています。

マーチ家の四人姉妹が住む、質素でも喜びに満ちた家
『若草物語』

ルイーザ・メイ・オルコット 著

マーチ一家が住むのは、マサチューセッツ州コンコードにある簡素なつくりの家。

十九世紀半ばのアメリカ東部に住む、マーチ一家の四人姉妹の一年間を描いています。時は南北戦争の真っ只中。父親は従軍牧師として戦地に赴き、母親のマーチ夫人は軍人援護会で働きながら、慈善活動をしています。堅実で穏やかな長女のメグ、作家志望で意志の強い次女のジョー、音楽好きで気弱な三女のベス、図画がうまく、やや奔放な末っ子のエイミー。それぞれ個性的な娘たちは、少しずつ社会へと歩み出していきます。この十二歳から十六歳の娘たちは自分たちをよく「貧しい」と口にしますが、この時代ではおそらく中流だったのではないでしょうか。五人の女性がいながら、この家では家政婦を雇っているのですから。

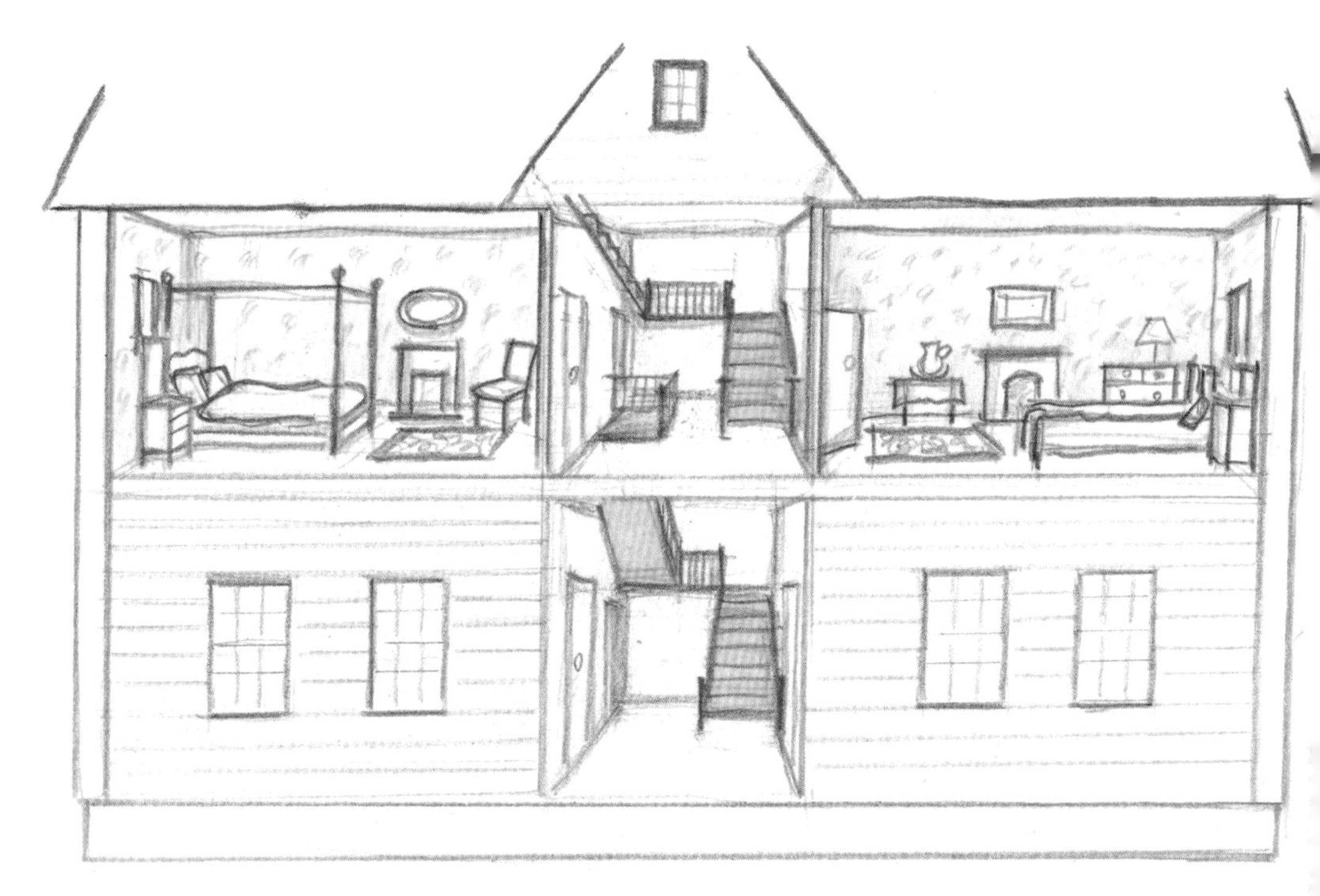

２階の２部屋が姉妹の
寝室。１階右手は居間、
その奥がキッチンと食
料庫になっている。

暖炉を囲む居間。父親から
手紙が届くと、皆でここに
集まって読む。

従軍している最愛の夫からの
手紙を読むマーチ夫人。

居間のソファー。19世紀
中頃に流行した、ヨーロッ
パの様式の影響を受けた
デザイン。

マーチ家の間取り

マーチ家が住むのは、二階建てに屋根裏部屋がある住宅です。一階には台所と大きな居間、応接間、女中部屋があり、二階には両親の寝室とメグとジョーの部屋、ベスとエイミーの部屋、それに客間があります。普段物置として使われている屋根裏部屋は、ジョーにとっては、一人静かに大好きな本を読める大切な場所。また週に一度開かれる四人姉妹の秘密会議の場でもありました。

クリスマスの施し

物語はクリスマスの少し前から始まります。戦時下の今年はクリスマスのプレゼント交換をやめましょう、というマーチ夫人の提案に、娘たち

引き出しの付いた鏡台。

姉妹で使っている天蓋付き寝台。きょうだいで寝台を共有することは一般的だった。

は悲喜こもごも。それでも母親にだけは、それぞれからできる限りのプレゼントをしようとする娘たちの心意気が健気です。

クリスマスの朝、マーチ夫人は近所の貧しいフメル家の様子を見に行き、帰宅するや今朝の朝食をプレゼントしようと提案します。みんなで衣類や焚き木を持ってフメル家まで赴き、暖炉に火を入れて、あたたかい朝食を準備するのを手伝います。この話を耳にした隣の裕福なローレンス家の老人は、マーチ一家にこの日の夕食を届けさせました。このやりとりから、両家の交流が始まります。両親を早くに失くした孫のローリーは、次第にマーチ家に家庭のぬくもりを求めるようになるのでした。

マーチ夫人の
お気に入りの家具

母の家に代々伝わる衣装箱。

イギリスで生まれ、アメリカにも広まったシンプルなウィンザー・チェア。厚い座面に細い棒の背もたれが特徴。

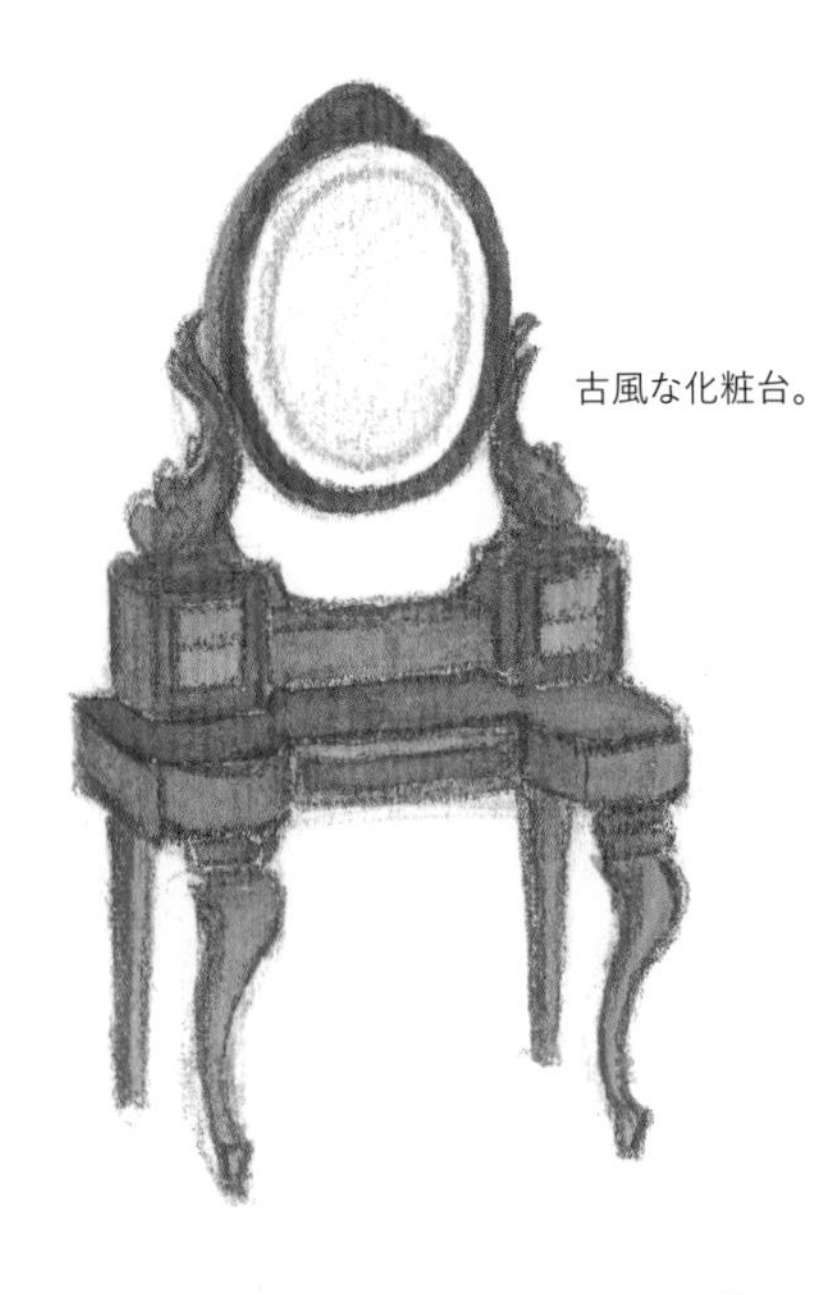

古風な化粧台。

普遍的な問題を描き出す

初めは女性五人家族のささやかな日常生活を描いたものとして読んでいたのですが、クリスマスの朝の施しの場面で、ちょっと座り直してしまいました。読み進めると、次々と心に突き刺さる問題が出てきます。学校での差別やいじめ、どうすることもできない貧富の差、エイミーが教師から受けた体罰と心の傷、学校には行かなくていいと理解を見せる母親。

父親が戦地で負傷したという知らせが入り、マーチ夫人がワシントンに看病に行くことになって、物語はクライマックスを迎えます。ジョーは自分の髪の毛を売って母に旅費を渡します。一人フメル家の支援を続

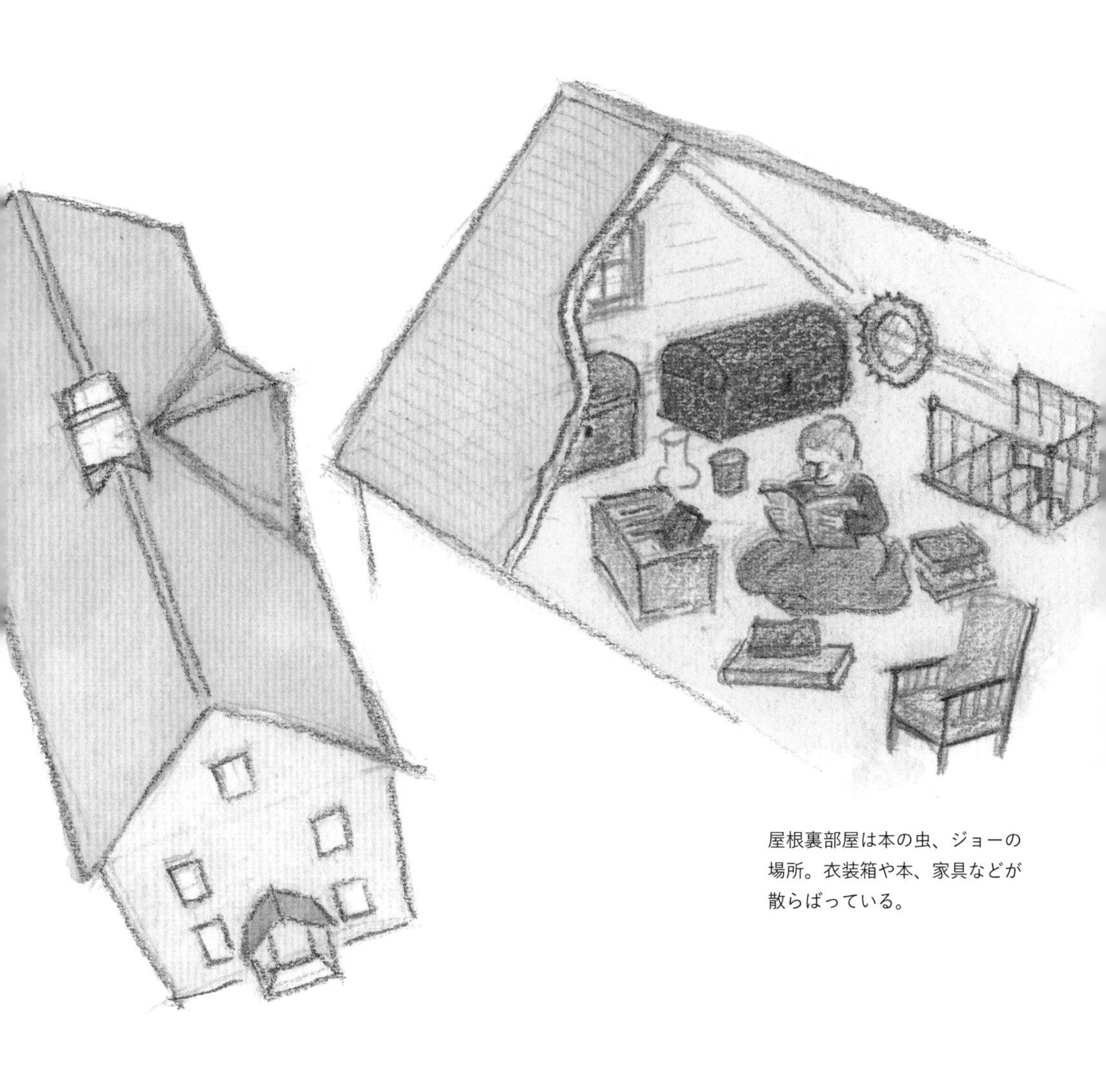

屋根裏部屋は本の虫、ジョーの場所。衣装箱や本、家具などが散らばっている。

けていたベスは猩紅熱にかかってしまいます。感染予防のためにエイミーは隔離され、ベスは生死の境をさまようことに……。

この作品には、現代にも通じる様々な問題が含まれていることに驚かされます。一家に降りかかるこれらの苦難を乗り越えていけたのは、この母親であるマーチ夫人の力が大きいでしょう。ローレンス家も、陰で援助しますが、それは彼女の考えに共感したからにほかなりません。一五〇年も前に、強い意思を持ち、清教徒としての信念を子どもたちに伝え、教え導き、自分のできる範囲で過酷な社会のひずみを補おうとしたマーチ夫人という女性の素晴らしさに胸を打たれました。

「物語を生み出す領主の館」

ヨーロッパの児童文学には、領主の館を舞台にした作品が少なくありません。この本でも取り上げた「秘密の花園」、「ナルニア国ものがたり」などがその例です。かつてはその領地で小作人を雇って、農業や牧畜で屋敷の維持経費をまかなっていたのでしょう。

文学作品に登場する邸宅の多くは、十四世紀から十九世紀に建てられたもの。いまでは数人から十人程度の使用人がいる程度、かつてのような活気はありません。だからこそ、部屋の数が百もあるような建物は神秘的で、秘密の宝庫のよう。いまは使われていない部屋がいくつもあるとなれば、誰でも探検したくなります。こういう建物は、作家の想像力を無限にかき立てるのでしょう。

建物の建材は主に石やレンガ。内装は木材を使っています。一階の天井は高さ四メートルくらいあり、大人数のパーティや会議などに使われていました。二階以上の部屋の天井でも三メートルくらいあるので、寝室としては少々空間がありすぎます。だから寝台の上に天蓋をつけたのでしょう。天蓋の四方にはカーテンを巡らし、蚊除けや風除けの役目も果たしていたそうです。

ホテルに改築された館に泊まったことがあります。大広間で夕食をとり、食後は湖に面した部屋に移り、コーヒーをいただく。大きなフランス窓から庭に出ると、湖に沿って建物が広がっています。部屋数六十ほどの館でしたが、かつては領主の家族だけでなく、多くの使用人も暮らしていたのでしょう。そこでの人間関係などに思いを馳せましたが、想像力のある方であれば、ここを舞台に新しい文学作品を生み出してくれるかもしれません。現在、こうした館の保存は難しいと聞いていますが、夢を生んでくれる場として、できることならずっと残ってほしいものです。

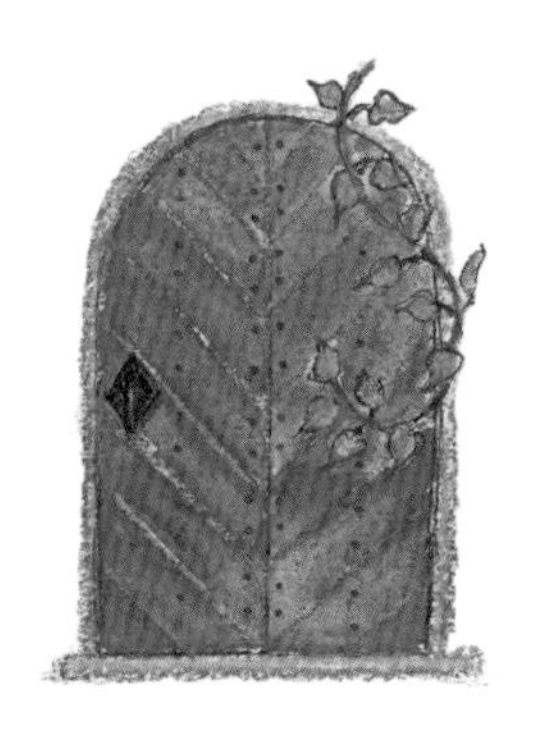

昔話と寓話の家

極北の原野に建つ氷の宮殿
『雪の女王』

ハンス・クリスチャン・アンデルセン 著

カイがロープを結んだ橇は、
恐ろしい勢いで滑り出す。

下町に住むカイとゲルダは、兄妹のように仲良し。ある日、悪魔が壊した鏡の破片がカイの目と心臓に刺さり、カイは人が変わってしまいます。カイは、雪の女王のソリに引かれ、氷の宮殿に幽閉されてしまったのでした。

ゲルダはカイを探す旅に出ます。花々やカラスに助けられ、森のハトからカイが氷の宮殿にいると教えられます。ゲルダはトナカイに乗って北の果てへと向かい、オーロラの下にそびえる氷の宮殿に辿り着き、宮殿の大広間で、とうとうカイを見つけました。ゲルダの祈りと涙で、カイの目と心臓から鏡の破片が流れ出します。二人は宮殿を出、南へと旅して自宅へと戻ることができたのでした。

女王お気に入りの、氷で出来たゴブレット。

その橇は雪の女王のものだった。あっという間に北極圏の女王の城に着く。

ラップランドでは人々に
暖かいもてなしを受ける。

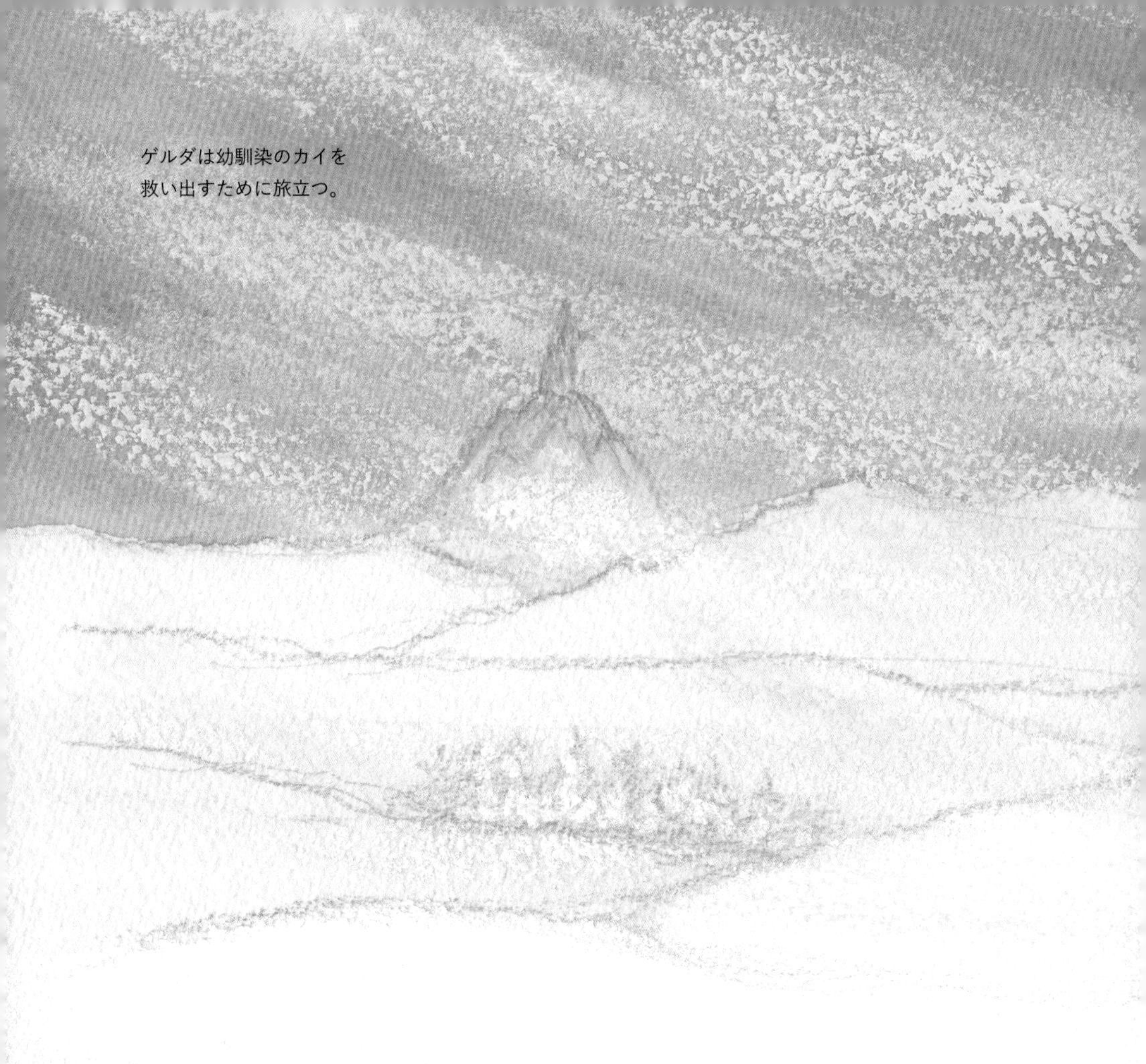

ゲルダは幼馴染のカイを
救い出すために旅立つ。

よく読むと曖昧な物語

この『雪の女王』は、実はあまりアンデルセンらしくない童話です。話があちこちに飛んで長いし、童話らしいテーマや教訓も見つからず、わからないところがたくさんあるのです。悪魔が壊した鏡の破片はいまも空中を飛び回っているそうですが、この意味もよくわかりません。カイはなぜ雪の女王に誘拐され、幽閉されたのか。タイトルにもなっている雪の女王もほんの少ししか姿を見せず、存在感がありません。

それでも、どうやらゲルダの生きとし生けるものすべてへの愛、神への信仰心が、カイを救ったらしいということは読み取ることができます。「アナと雪の女王」がこの物語から

遠くに氷の宮殿が見えてきた。

町に戻ってきたカイとゲルダ。隣り合った屋根と屋根の間は、二人の大事な場所。

インスピレーションを得たように、もしかしたら解釈の余地のある物語だからこそ、後世のアーティストたちは、より想像力をかき立てられるのかもしれません。

屋根の上は二人だけの場所

物語の最後に二人が戻ったのは、いつも一緒に遊んでいた屋根の上。くっつき合うように建つ二人の家の屋根裏は向かい合っていて、あいだに渡した箱の上には小さい花壇までありました。ここに座って、二人は幼いころから親しんだ街並みを見渡し、幸せを感じるのでした。

雪の晩に窓からもれるあたたかな光
『マッチ売りの少女』

ハンス・クリスチャン・アンデルセン 著

年越しの準備で街を行きかう人たち。少女は籠に入ったマッチを売っている。

窓越しには数日前のクリスマスの飾り。今夜のおいしそうな食卓も見える。

冬のデンマークの夜は、北風が吹きすさび、とても寒い。手袋、帽子、コート、靴がなければ耐えられません。貧しいマッチ売りの少女は、わずかな服だけで街角に立ち、マッチを買ってくれる人を待つのでした。

短いお話ですが、とても悲しい物語です。マッチが売れずに家に帰ると、少女を殴る父親。もしかしたら彼は病気かもしれません。母親は登場しないので、きっともう亡くなっているのでしょう。おばあさんも亡くなっています。少女が死ぬことによって、ようやく苦しみから解放される結末は、アンデルセンらしいのですが、読むほうはつらい。

「作者の願いを受け止めた社会」

ここまで悲惨に描いたのは、作者

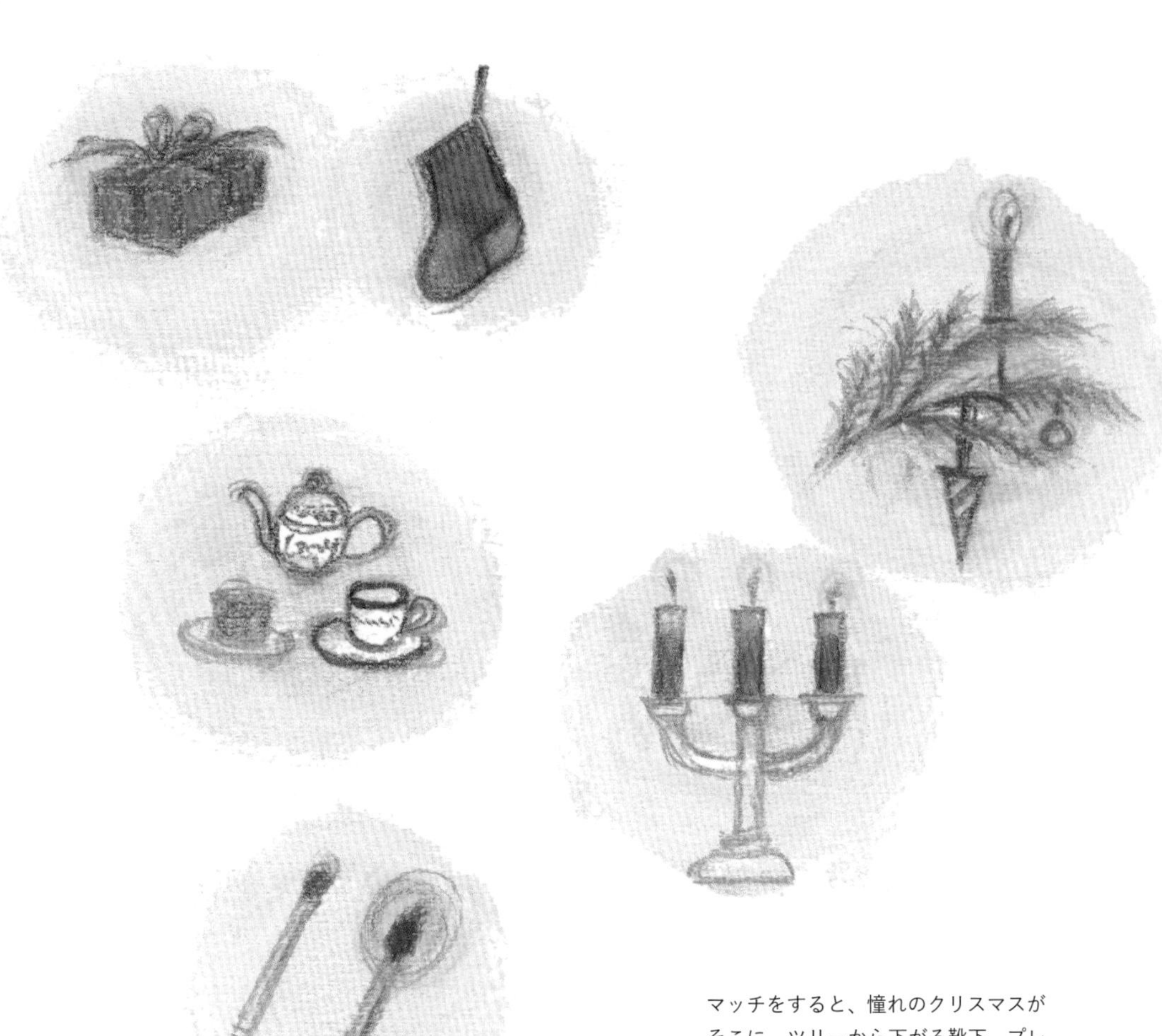

マッチをすると、憧れのクリスマスがそこに。ツリーから下がる靴下、プレゼント、たくさんのごちそう。

が生きた時代には、貧しく凍え死ぬ人たちが、少なからずいたからでしょう。この国では、この物語を読まずに成長した人は、一人としていないはずです。人々は、マッチ売りの少女を二度と生まないと心に決め、弱い人々に寄り添う社会を作ろうと努めてきました。

いまもデンマークの町では、冬は北風が吹きぬけていきます。窓辺は美しく飾られ、カーテンを閉めない習慣なので、部屋の中がよく見えます。暖炉の火が暖かそう。路上で凍え死ぬ人はもういません。わずか数ページの童話が、高度な福祉社会を生む原動力になったと考えると、児童文学の力に敬服すら覚えるのです。

優しかったおばあさんが呼びかける声が聞こえる。「さあ、こちらにいらっしゃい」

町を見下ろす柱の上にたたずむ
孤独な王子

『幸福の王子』

オスカー・ワイルド 著

町の中心広場に高くそびえる柱。その上に立つ
「幸福の王子」と呼ばれる像は、人々の自慢だった。

全身を薄い純金で覆われ、目には輝く宝石があしらわれ、なんとも豪華な立ち姿。

町を見下ろす高い円柱の上に、幸福の王子の像が立っていました。その姿を想像して、思い浮かんだのはロンドンのトラファルガー広場に立つ、ネルソン提督像です。そのネルソン提督の部分を、やさしい王子の姿にしたらピッタリに思えました。柱の高さ四十六メートル、像は五・五メートル。柔らかな金髪の上に金の冠。金のケープをまとい、その下に腰までの上着、膝までのズボン、靴下、靴という凛々しい姿です。生前、幸せしか知らなかった王子だったから、死後もみんなの心に安らぎを与える像として町に飾られたのでしょうか。

ツバメよツバメ、あの貧しさに
苦しむ青年に、私の目のサファ
イヤを届けておくれ。

ツバメは運ぶ。ルビー、サファイヤ、金のひとひら。

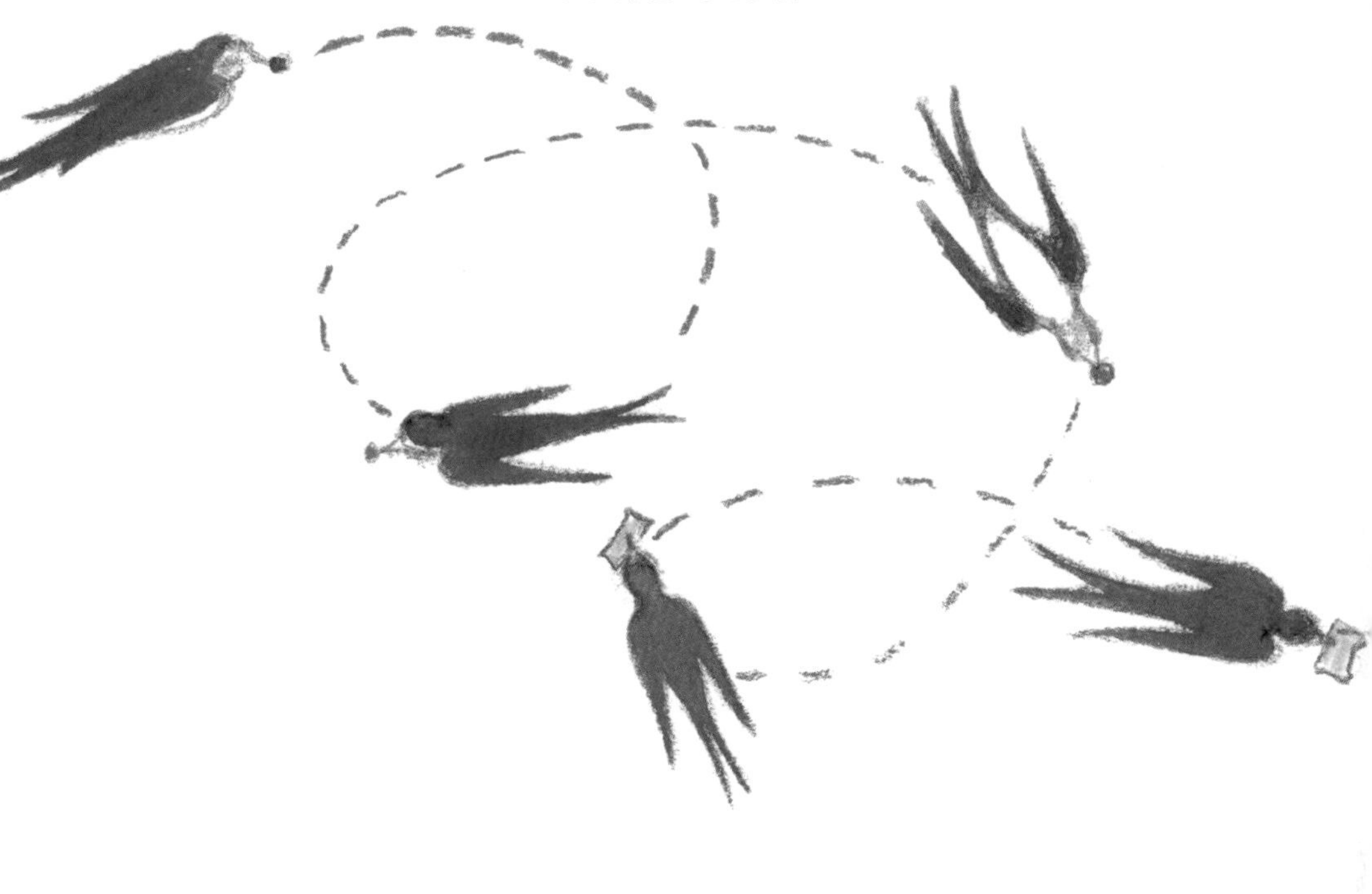

複雑な読後感を残す作品

王子は高い円柱の上から、人々の貧しい暮らしを目にし、心を痛めます。そしてやさしいツバメの力を借りて、自身を飾っていた宝石や金箔を、悲しみ、苦しむ人々へと届けるのでした。

作者ワイルドは、この物語で自己犠牲の精神こそ尊いと描きたかったのでしょうか。しかし、銅像をめぐり、自分本位に振る舞う政治家たちの姿を見ると、王子とツバメに救われた市民たちが、再び貧しい暮らしに陥ってしまうことは容易に想像がつきます。結局、貧しい人々は、自ら立ち上がるしか救われる道はないのでしょうか。読むたびに様々な想いが湧き上がってくる短編です。

玉ねぎ型のドームが特徴的な
ロシアの宮殿

『鶏の卵ほどの穀物』

レフ・トルストイ 著

谷間で鶏の卵ほどの穀物が見つかり、知恵者たちがライ麦と判定します。王様は老人を呼んで、いつ頃のものか聞きました。最初の老人は目も耳も足も不自由で、私の父は知っ

鶏の卵のように大きな穀物が
何なのか、誰も分からない。

王様の暮らす色鮮やかな宮殿。ドームが玉ねぎ型なのは、雪が屋根に積もらず滑り落ちるように。

ているかもしれません、といいました。

王様は老人の父親を呼びました。その人も足が不自由でしたが、耳と目は健常でした。大きなライ麦のことはこの老人の父に聞くことになりました。その人は不自由のない健康な身体でした。昔のライ麦は大きく、実ったものをみんなで分け合って食べた。土地は神様のものであり、よく働いたから今も元気で、働かずお金で暮らす息子や孫の身体は早く老いた、と教えました。

作者は十九世紀のロマノフ朝の裕福な貴族の生まれで、キリスト教を信仰し、貧困者救済、農地改革などに力を注ぎました。この作品では、三代の男の身体を比べて、働くことの大切さを示しています。

北欧伝説をもとにした幻想的な民話の世界
『太陽の東 月の西』

アスビョルンセン 編

王子の顔を見てはいけないという約束を破ってしまう。

十九世紀中ごろに再話され、出版されたノルウェーの民話です。

貧しい農夫の家に、あるときシロクマがやって来て、美しい末娘と自分を結婚させてくれれば、一家を金持ちにしようと申し出ます。最初末娘は拒みますが、父親に説得され、シロクマの背に乗って、彼の住む宮殿へと嫁いで行くのでした。

少女が住んでいる小さな農家。

シロクマは少女を背に
乗せ自分の城へ。

王子を探して、一人最果ての地を行く。

王子のいる「太陽の東
月の西」がどこにあるの
か、誰にもわからない。

長い日々を経て再会を果たした二人。

捕鯨国ならではのディテール

夜になると娘の部屋に、王子の姿になったシロクマがやって来ます。部屋は真っ暗で、王子の顔は見てはいけないという約束でした。しかし、娘は明かりで王子の顔を照らしてしまい、蝋のしずくが三滴シャツについてしまいます。それに気づいた王子は、太陽の東、月の西にあるという、まま母の宮殿へと去ってしまいました。王子に恋した娘は、一人で彼を探しに旅に出るのですが……。

物語の鍵となる蝋は、鯨の油から作られたもの。ノルウェーは九世紀から捕鯨国でしたが、それでも蝋は高価だったはずで、作中蝋が重要な役割を果たすのは、こんな背景もあったのかもしれません。

「庶民として生きたアンデルセン」

童話作家アンデルセンは、十九世紀の初めにデンマークのオーデンセで生まれました。父は靴職人、母は洗濯女という家庭で、貧困、父や祖父の死、周囲からの差別などの体験が、多くの悲しい作品を生んだと言われています。

アンデルセンの生家を訪ねると、建物は立派な博物館になっています。むしろ母の仕事場の川の近くに残る幼年時代の家が、小さくて貧しさを感じさせました。酒で水の冷たさを紛らわせた洗濯女の話「あの女はろくでなし」を思い出しました。多くの作品でアンデルセンは、貧しい人や弱い人に思いを寄せ、最後に亡くなりはしても、救われるように描いています。その理由がわかるような気がしました。

コペンハーゲンに出たアンデルセンは、たくさんの人に助けられながら、作家への道を進んでいきます。成功してからは、貴族や大商人の館に招かれて休暇を過ごすことが多かったのですが、家は買わず、借家住まいでした。なかでも十七世紀に造られた港地区ニューハウンがお気に入りでした。長い旅行を挟んで、三か所に三十年近くも住み、人生最後の二年間を過ごしたのもここでした。いまでこそおしゃれな観光地ですが、かつては船着き場と倉庫が連なり、船員や労働者相手の酒場や入れ墨の店、風俗店が並ぶ通りでした。夕方から夜遅くまで、酔客がうるさくて童話の執筆どころではなかったと思います。それでも、ここで生活する人たちの姿から、題材を得ることが多かったのでしょう。港から一本中に入った裏通りは、「マッチ売りの少女」で描かれたような光景が続きます。伴侶に恵まれず生涯独身だった彼は、いつも懸命に生きる庶民がいて、ざわついているところが安心できたのかもしれません。

名探偵たちの晴れ舞台

19 世紀末のロンドン、名探偵の住むフラット
『シャーロック・ホームズの冒険』

アーサー・コナン・ドイル 著

ホームズのお出かけ用の帽子と、愛用のバイオリン。バイオリンは心を鎮める時に弾く。

シルクハットに拡大鏡という探偵のイメージを定着させたホームズは、ロンドンのベーカー街に事務所兼自宅を構えていました。一階は家主の部屋、二階がホームズ、三階が記録係のワトスン医師が結婚するまで住んだ部屋です。一階から三階までの階段は一か所だけ。ホームズの住まいは寝室と応接間兼仕事場の二部屋で、紅茶を飲みながら推理し、疲れるとバイオリンを弾きました。ベーカー街の住宅は、横長の長屋で、二十軒くらいがつながっています。

近くには地下鉄駅ベーカー・ストリートがあり、蒸気機関車がけん引する列車が走っていました。交通の便はよかったはずですが、ホームズはこの本の中で、一度しか地下鉄を使わず、辻馬車を愛用しています。

事件の現場に向かうホームズとワトスン。

ロンドンの中心地にあるベーカー街の家。
ホームズは２階を借りている。

当時地下鉄の構内には石炭の煤が充満していたので、それを好まなかったのかもしれません。馬車代を払えるだけの収入は得ていたのですね。

国際色豊かな物語

『シャーロック・ホームズの冒険』の本は短編集なので様々な題材を扱っていますが、特徴的なのはその国際性。第一話の「ボヘミアの醜聞」は始めから数ページで、オデッサ、トリンコマリー、オランダ、ボヘミア王国などの地名、国名が登場します。当時のイギリスでは知られた名前だったのかもしれませんが、さらにニュージャージー、ワルシャワと続くと、それなりの知識を持つ層を読者として意識していたのかと思います。そもそもワトスンがアフガニ

19世紀ロンドンの典型的な住宅

外から見るとガッチリと隙間なく同じ外見の家が続くが、ひとつひとつは独立した住居。裏手にはたいてい庭がある。1階の奥のドアから、庭に出られるようになっている。

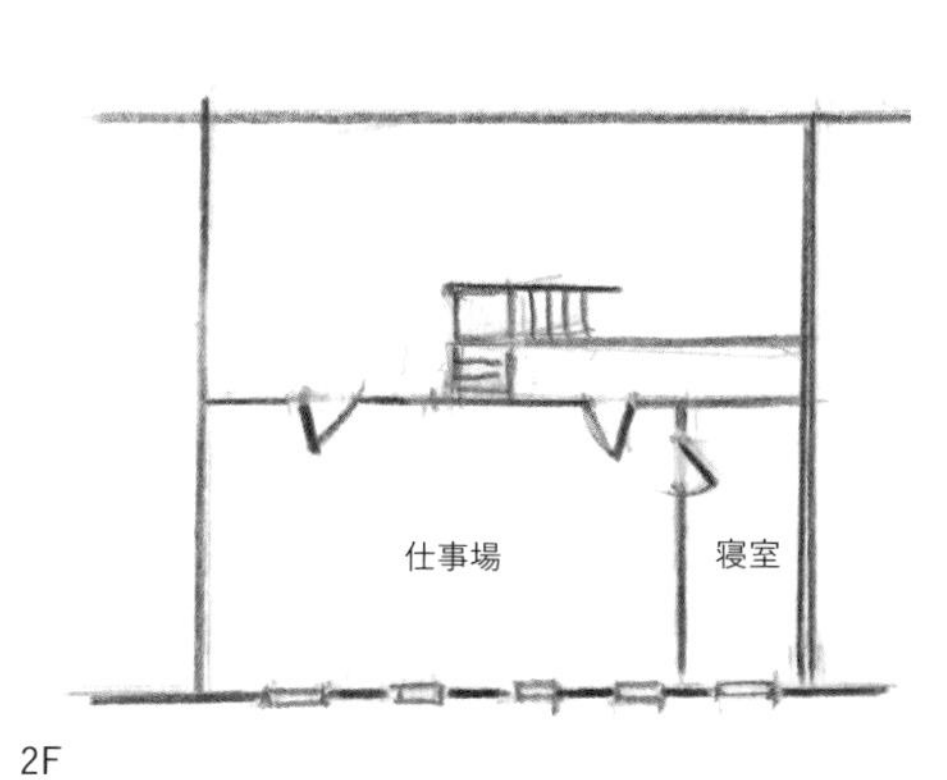

2F

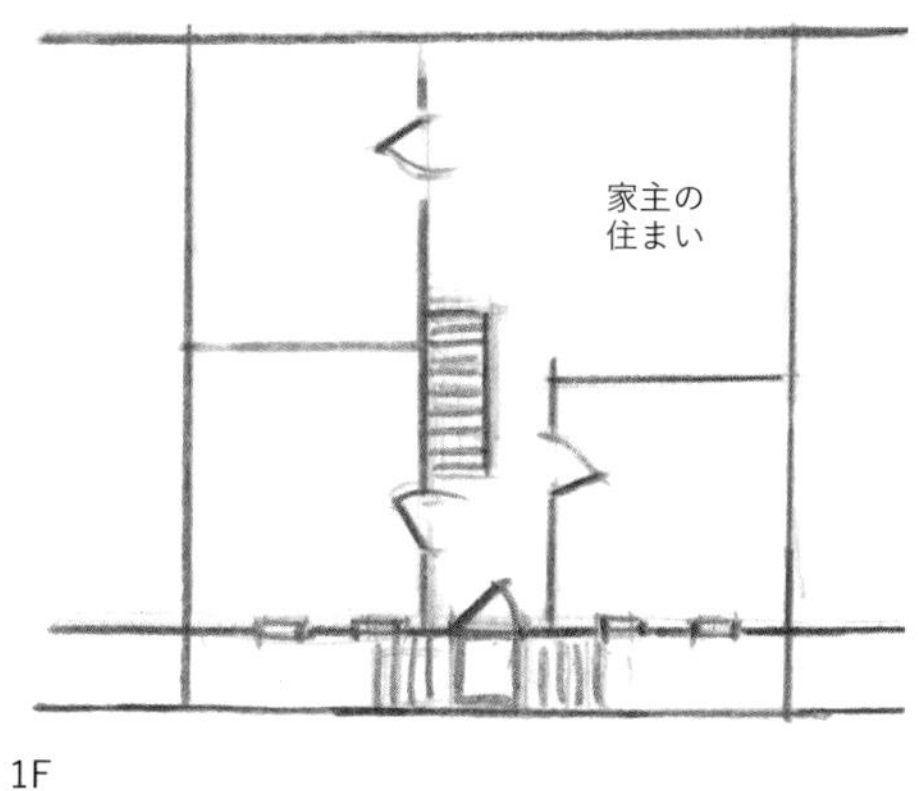

1F

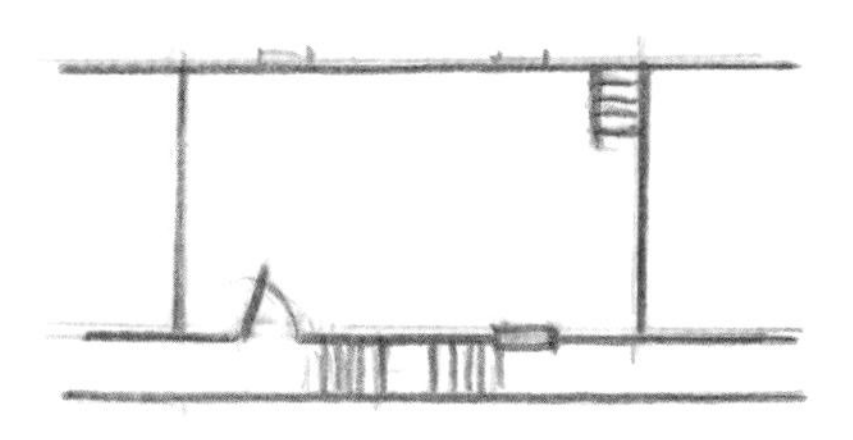

半地下

1階は家主のハドソン夫人の住まい、2階の窓に面した側がシャーロックの住まい。

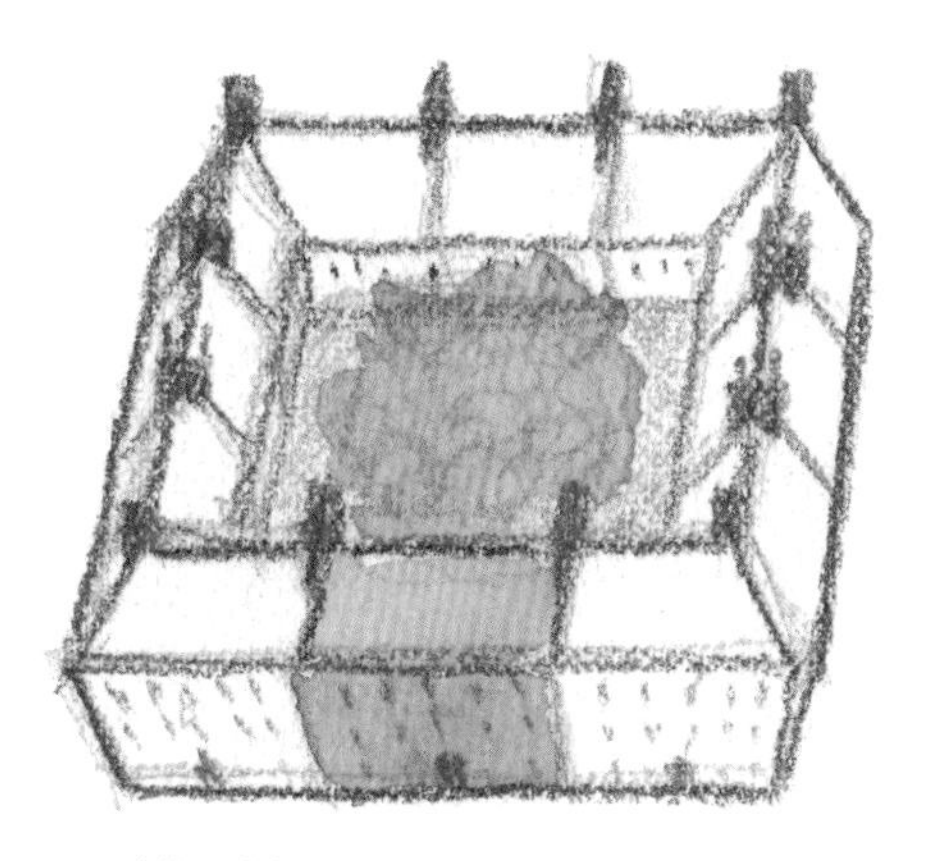

建物の内部に共同の庭があることも多い。

表通りから透視した構図。来訪者の座る位置は決まっていて、たいてい暖炉の前の椅子に。左手の円形テーブルはティータイムに使う。

依頼人を迎え入れる応接間を兼ねた仕事部屋

スタンで負傷した元軍医という設定も、世界中で紛争を起こしていた国イギリスならではといってもよいでしょう。

そしてホームズが時折コカインを使用していたという描写も、アヘン戦争の背景を思い起こさずにいられません。ワトスンには苦い顔をされるのですが、だからこそ彼は平気でアヘン窟にも潜入することができたのでしょう。「まだらの紐」や「ボスコム谷の惨劇」でも、植民地主義の闇の部分が描かれます。探偵小説としての面白さだけでなく、当時のイギリスの習慣や風俗を伝える貴重な短編集となっています。

月夜の晩、依頼を受けて
馬車で出かけるホームズ。

豪華特急列車を舞台に描かれるミステリ『オリエント急行の殺人』

アガサ・クリスティー 著

イスタンブールの旧市街に建つスルタンアフメット・ジャーミイ。内部は青と白のタイルで美しく装飾され、ブルーモスクとも呼ばれている。

トルコのイスタンブールを出発した
シンプロン・オリエント急行。

オリエント急行は、かつてトルコのイスタンブールやギリシャのアテネと、フランスのパリや港町カレーなどを結んだ長距離列車です。三、四日の行程で、料金の高い寝台車がつき、一人用や二人用の寝台は富裕層とその使用人たちが利用しました。しかし、自動車や飛行機などの発達により寝台車の需要が減り、残念ながらオリエント急行は次第にすたれていきます。

車両の中は窓際の
スタンドにいたる
まで、調度品も一
流ホテルのよう。

贅を尽くしたコンパートメントの内部

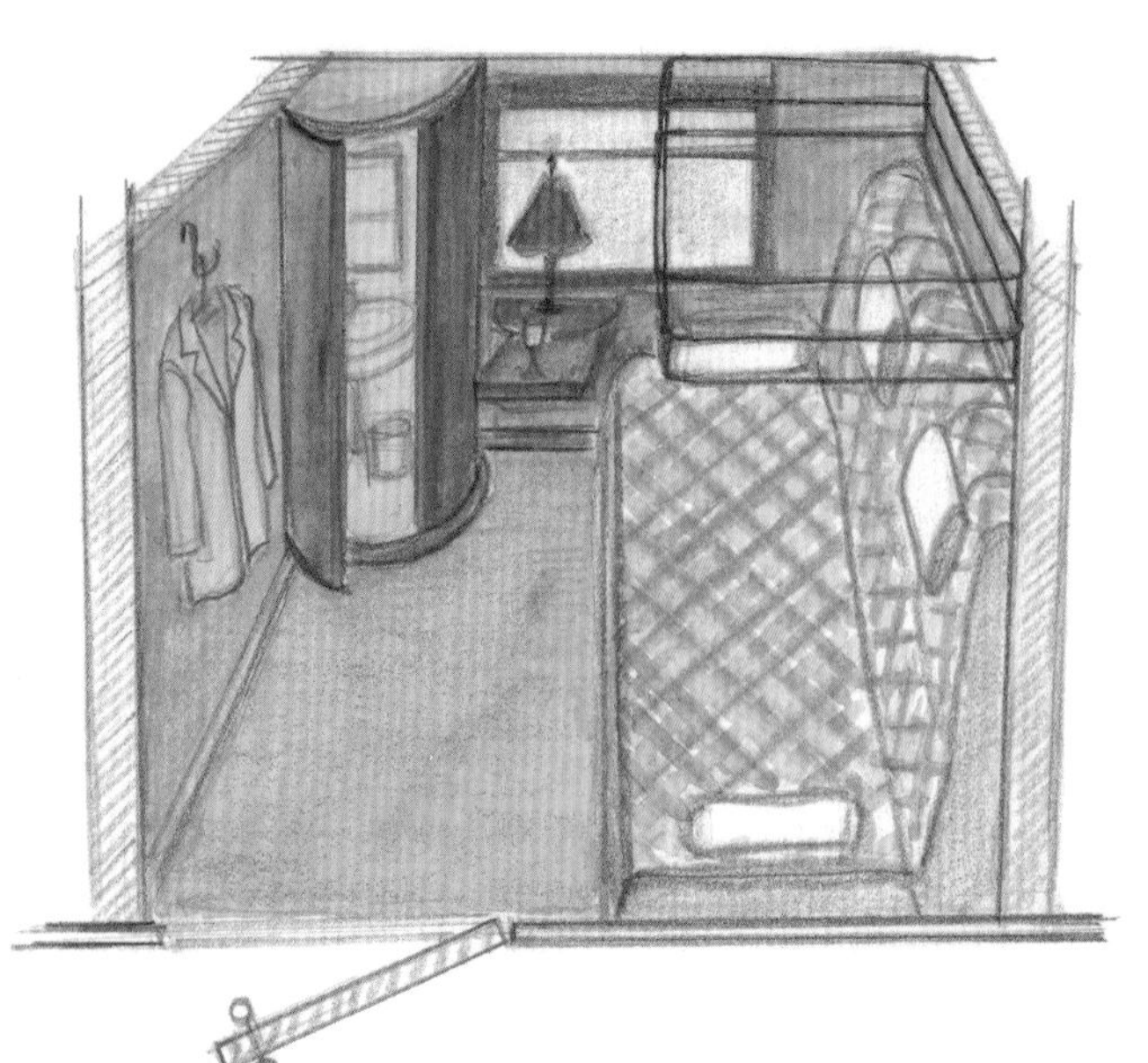

2人用客室の内部。左手のカーブの内側は洗面所になっている。

スイートの客室。2つの部屋の間が開閉できる。

2人用客室は寝台が2段になっている。

まるでホテルのような寝台車

小説に描かれる「オリエント急行」はイスタンブールを出発後、ユーゴスラビアのヴィンコヴチあたりで雪の吹き溜まりに突っ込んで、動けなくなってしまいます。翌日、一人用寝台で死体が発見され、たまたま乗り合わせた探偵ポアロは、依頼を受けて調査に入ります。

欧州の寝台車は、片側に狭い廊下があり、傍らにコンパートメントが並んでいる造り。寝台は二段あり、一人でも二人でも使用できます。

オリエント急行は「動く宮殿」とも言われ、美しい内装ときめ細かいサービスを誇っていました。コンパートメントのドアを開けると、長いソファーがあり、奥に窓、窓際に趣が

寝台車両の廊下。豪華だけど幅は狭い。

「灰色の脳細胞」をフル回転させて事件に挑むポアロ。

ある寝台用ランプ。正面の隠し扉の中には洗面室。壁は木目を浮き立てたマホガニーや象嵌細工で飾られています。乗客たちが夕食をとりに行っている間に、乗務員がソファーを倒して寝台にします。二人用客室は、ソファーの上の壁からもう一つの寝台が引き出されます。朝食の間に、また寝台からソファーへ。

乗客が過ごせる場所は、客室と廊下、それに食堂車です。ポアロは知人と一緒に昼食をとりながら、乗客たちを観察していきます。座席は、一席ずつ向かい合わせの二人席と、二席ずつの四人席。インテリアは当時の最先端のアールデコ調。ルネ・ラリックのガラス装飾や寄木細工が華やかな時間を演出していたはずです。

雪に閉ざされた山の中に一編成だけ、しかも満室の寝台車での密室殺人。読者はポアロの質問などを手がかりに犯人捜しに熱中しますが、彼の考えはなかなか明かされません。浮かび上がってくるのは、乗客のお金持ちたちの嫌らしさや、使用人や車掌の苦労。大西洋単独無着陸飛行に成功したリンドバークの子息誘拐事件の捜査への批判なども描かれます。最後に全員が食堂車に集められて、事件の調査結果が発表され、読者も共に答えを知ることになりますが、私をはじめ、多くの読者が意表を突かれた結末だったことでしょう。誰もが憧れる豪華列車での数奇な殺人事件。よく考えられた、ウエルメイドな推理小説です。

一流ホテルのような料理とサービスが人気の食堂車

1880 年代にはパリ〜イスタンブールを走行していた
オリエント急行。その後ロンドンまで延びる。

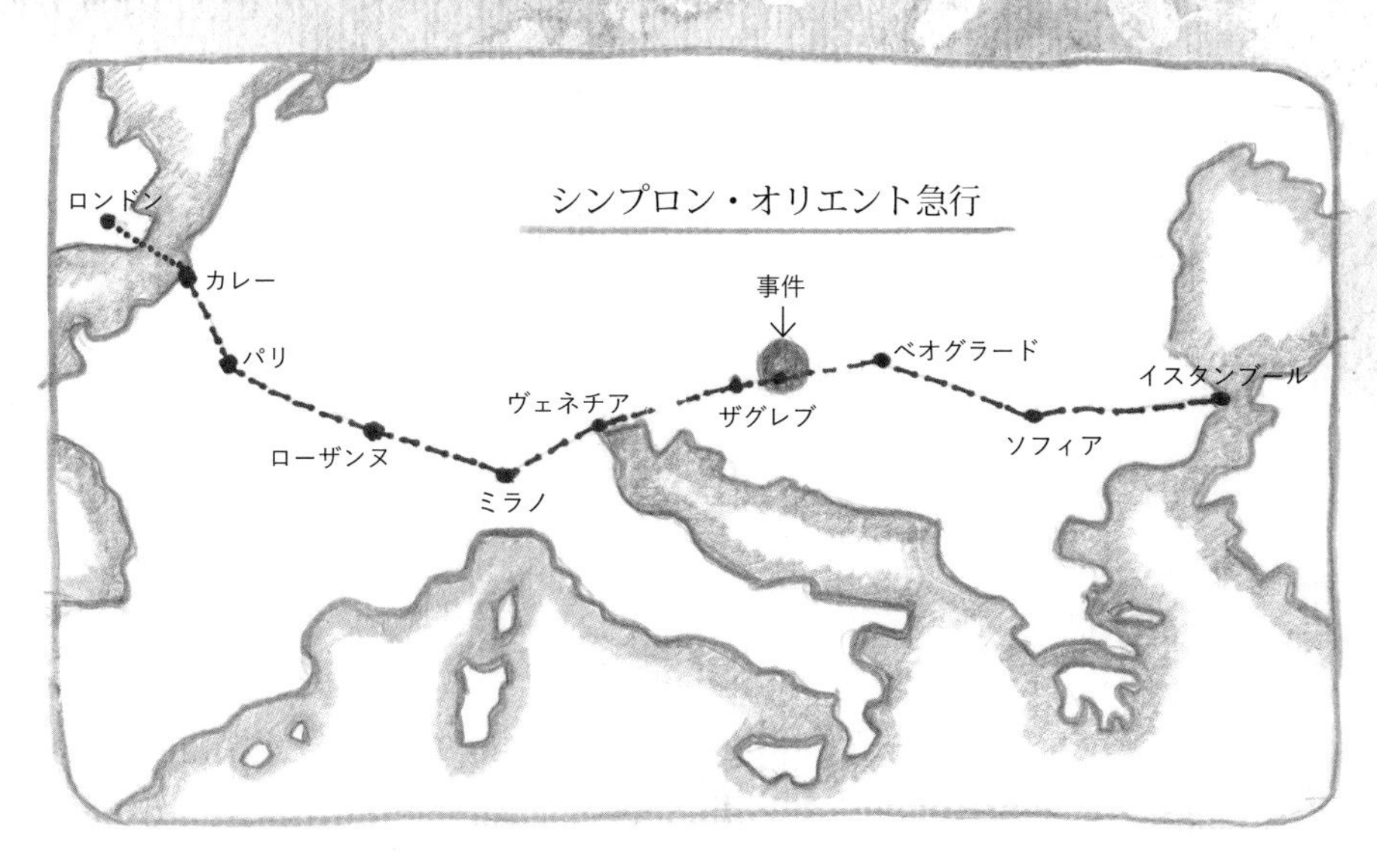

屋敷に植えられた
イチイの実による毒殺事件
『ポケットにライ麦を』

アガサ・クリスティー 著

街の広場の前にイチイ荘の正門。
奥に大きな屋敷が見える。

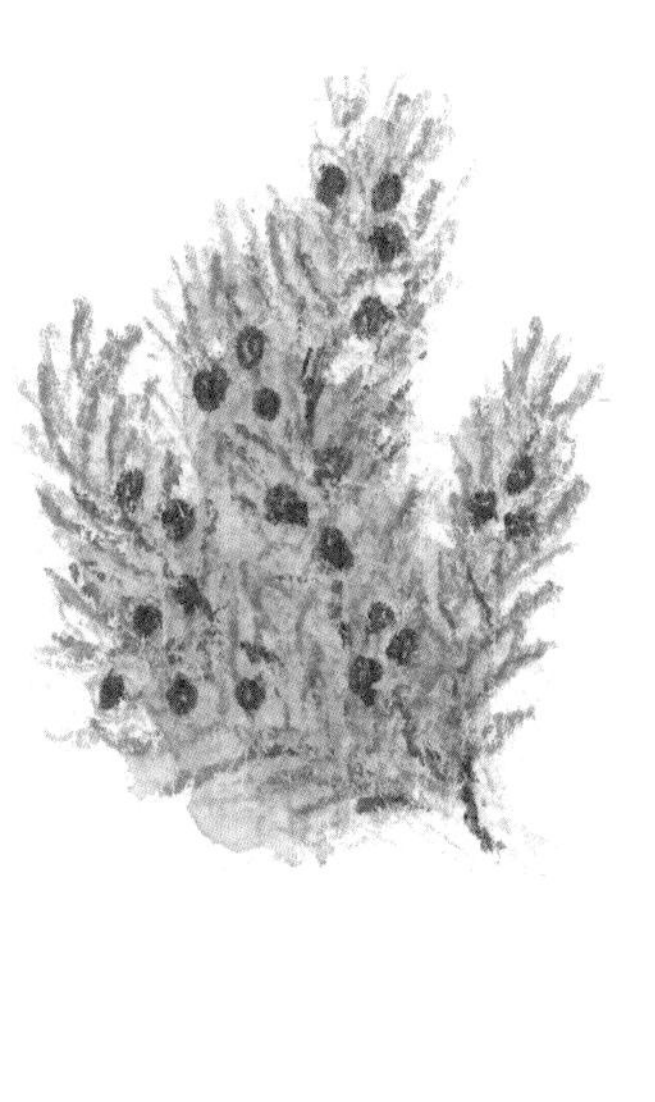

屋敷の名前は、イチイの垣根に囲まれていることから。イチイの赤い実には猛毒のタキシンが含まれている。

フォテスキュー家の主人が好きなオレンジマーマレード。

フォテスキューという一族の殺人事件です。一家はロンドン郊外の「イチイ荘」という邸宅に住んでいます。門から母屋まで70メートルもあり、車は玄関前に横付けできる大きな屋敷です。家主の父がここを購入した時、大きなイチイの木が立っていたので、イチイ荘と名付けられました。そして、屋敷の周囲もイチイの生垣で囲われたのでした。

イギリス人は、家に名前を付けたがります。日本でもアパートには「トキワ荘」などの名前がありますが、イギリスでは戸建てにも名付けます。小さい家は「ふくろう小屋」や「すずらんの家」、大きい家は「シラサギ館」や「ドーリア風の城」など。「荘」は、本来アパートのような集合住宅につけられる呼称で、イチイ

マザーグースの童謡の通りに、「見立て殺人」が起こる。居間では若い妻が犠牲に。

荘のような大きな家には「館」の方がふさわしいはずです。「荘」とつけることで、小さな家だと思わせたかったのでしょうか。

建物はレンガ造りの二階建てで、中央部分が吹き抜けになっています。一階には玄関ホール、食堂、喫煙室、午後のお茶を飲む図書室があり、奥にキッチンと食料庫、使用人たちの住居があります。中二階から二階と奥が家族の住居です。

マザー・グースに隠された謎

家主はロンドンで投資会社を経営していて、長男も重役です。この投資会社はアフリカの企業の株式や利権で利益を上げ、関係者から恨みを買ってきました。家主はイチイの毒が入ったマーマレードで、若い後妻

赤煉瓦が重厚さを醸し出す
イチイ荘の全景。

屋敷の一階平面図。横に長い大邸宅。

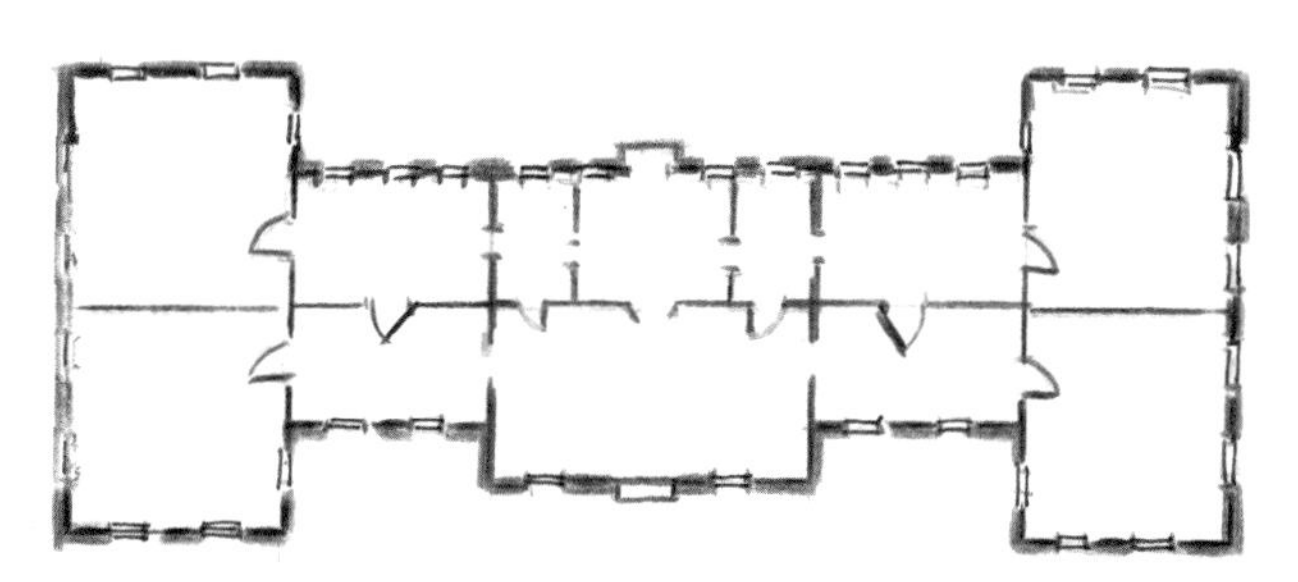

はお茶に入れられた青酸カリで、小間使いは首を絞められて殺されます。親族、友人、使用人たちのほとんどが腹黒く、家主に恨みがあり、誰もが犯人に思える設定です。殺された小間使いが以前ミス・マープルの家で働いていたため、ミス・マープルは、犯人捜しに乗り出し、事件がマザー・グースの歌に沿っていることに気づきます。

作者のアガサ・クリスティーは十編以上の作品にマザー・グースを絡ませています。歌詞は物語の中盤で示されますが、それが事件にどう関係していくかはわからず、読者を巧みに引き込んでいくのです。すべてが解明されると、それまでの謎が腑に落ち、いつのまにかクリスティー中毒になっていました。

名探偵初登場の舞台にふさわしい大邸宅『スタイルズ荘の怪事件』

アガサ・クリスティー 著

スタイルズ荘の全景。
左右対称の端麗な造り。

一九一七年前後のイギリス、ロンドン郊外のエセックス州にある、屋敷を舞台にしたミステリ小説です。アガサ・クリスティーと名探偵ポアロが初めて世に出た作品ですが、デビュー作とは思えないほどクオリティの高い作品です。

傷痍軍人のヘイスティングズは、知人のジョンの誘いで、スタイルズ荘で休暇を過ごしています。ここは先代の後妻のエミリーが相続し、長男のジョン夫妻、次男、エミリーの友人エヴリン、エミリーの知人の娘シンシア、それに二か月前にエミリーが再婚した年下のアルフレッドが住んでいます。皆、アルフレッドは財産目当てで結婚したのではないかと疑っています。

家主のエミリーが毒薬され、エミ

玄関から入ってすぐの大広間。中央に立つのは、難解な事件に取り組むためにやってきたエルキュール・ポアロ。

リーに住居の世話を受けたベルギー人の戦争難民の元刑事ポアロが捜査を開始します。当然アルフレッドが疑われますが、逮捕されたのは長男のジョン。登場人物の誰にも犯行の可能性があり、読者も真犯人探しに引き込まれていきます。

この屋敷は、芝生や花を敷き詰めた庭園や畑、テニスコート、森へ続く散歩道などがある、広大な敷地に建っています。一階には広い玄関ホール、応接間、食堂、昼間使うこじんまりとした居間、夜使う広い居間、家主の書斎、キッチン、食料庫などがあります。さらには住人全員と滞在客の部屋十二室、それに使用人たちの部屋もあります。

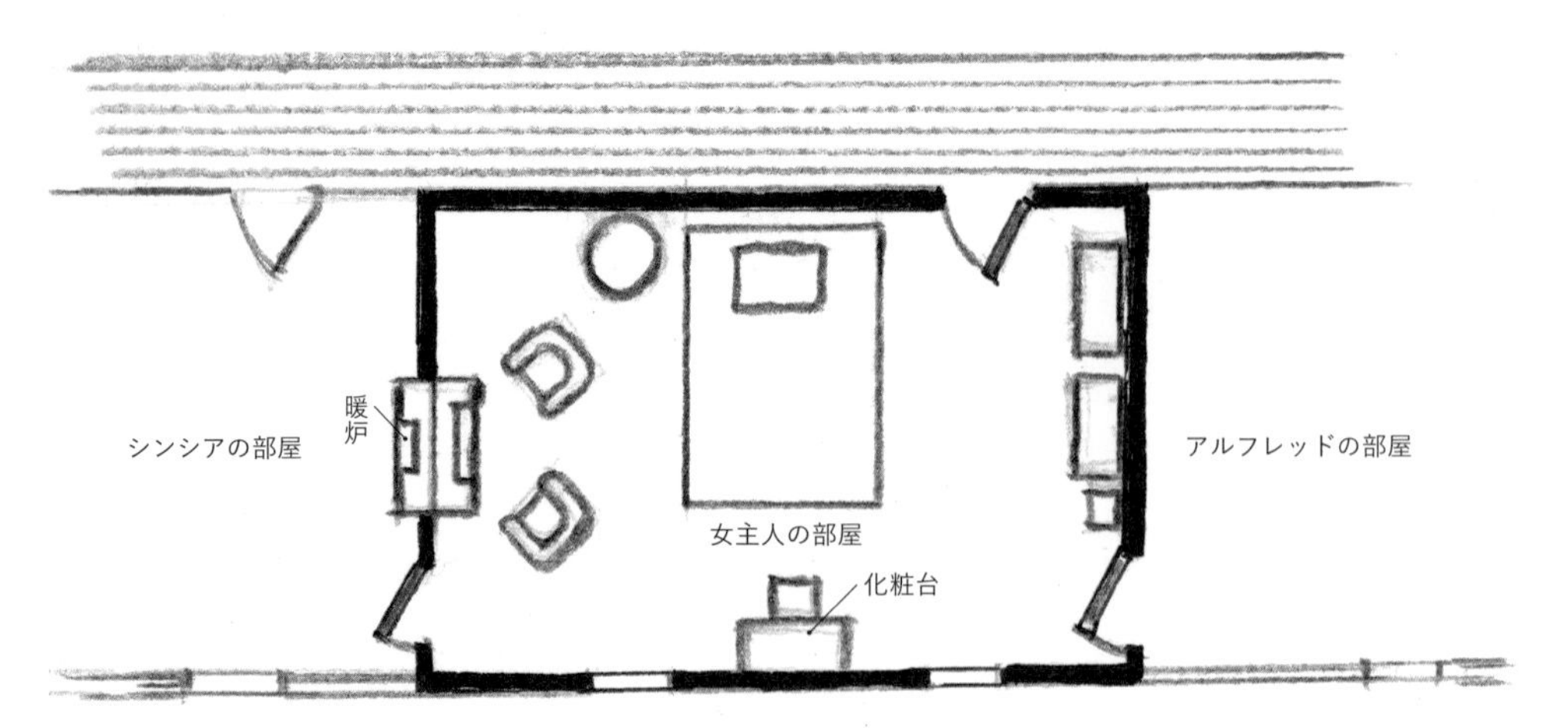

事件が起こった女主人の寝室の平面図。
ドアは3ヶ所。それぞれ廊下、隣接する
夫の寝室、若い女性の部屋との間にある。

女主人の寝室。寝台の向こうには廊下とつながった
ドアがある。右手は夫の寝室のドア。

文書箱。犯人は鍵を壊した。

優美な化粧台。

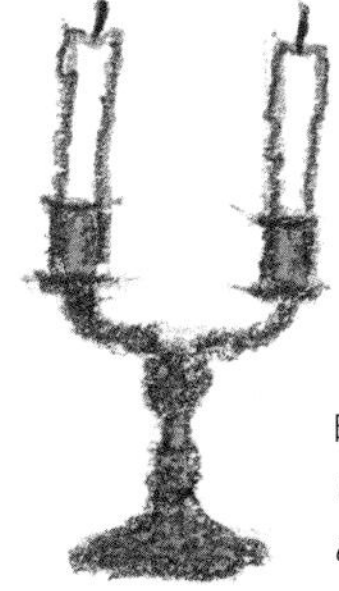

暖炉の上にあったもの。
こよりは犯人特定の決
め手になった。

インテリアの描写にも注目

エミリーが毒で苦しんでいたとき、三つのドアには鍵がかかっていて、家族は夫の部屋からドアを壊して中に入りました。部屋には天蓋付きの寝台に読書用のランプ、衣類を置く椅子、ライティングデスク、紫色の文書箱、ヴィクトリア朝時代のシックな化粧台。マントルピースの上の、容器に入った点火用のこよりが、犯人特定の重要な証拠となります。

作者も楽しみながら書いていたのがよくわかります。会話を重ねて人間関係や状況を説明する技術、毒薬についての豊富な知識やトリック、そして予想外の犯人と共犯者。クリスティーの才能を世に知らしめたミステリです。

おわりに

この本をまとめるために、四十近い児童文学作品を再読する機会に恵まれました。その中で選んだ作品は、私の好きな北欧やイギリスの作品が多くなりました。それは私がこの地域を多く旅し、そこで目にした建築、特に民家に魅力を感じてきたからかもしれません。なかでも北欧の人々の、「毎日の暮らしを楽しむ場としての家」という感覚が素敵だと思っています。北欧では、二百年前に建てられた家であっても、新しく建てられた家であっても、住みはじめてからは定期的にペンキ塗りをして外壁の傷みを直し、家族構成に合わせて住みよいように家を作り変えていきます。そのための木工や塗装などの技術は、男女を問わず基礎学校の授業で学びます。国を挙げて、自分の家は自分の手で守るという考えを広げているのです。

ここに取り上げた二七の作品の中には、百年以上もの間、世界中で読み継がれてきたものが少なくありません。時代は大きく変わり、人々の生き方や暮らしが違ったものになっても、読者の心に大きな感動を与えてきた秘密は何だろう。そう考えながら、読書を続けました。

ひとつは作品に登場する子どもたちが発揮する、力強い生命力でしょう。傷ついた大人たちを明るく変えていき、大人たちは子どもによって救われます。

その一方、大人がしっかりした生活を築いているからという例もあります。きちんとした大人の家庭では、家族は互いに信頼感を持ち、子どもたちは楽しくのびのびと育っていきます。

作品の中の子どもたちや家族を、そっと包んでいるのが家です。さまざまな家がありますが、家族がひとつになれるような建物がいかに大切か、作品では具体的には語られずとも、自然に伝わってくるのです。

本書の執筆のチャンスを下さったエクスナレッジさま、的確なアドバイスで支えてくれた編集者の関根さま、そしてコロナ禍で自宅にいるからと書籍や資料集めの助手を努めてくれた夫に「ありがとう」の言葉を贈ります。

2021年3月吉日

本書で取り上げた作品

異世界への扉が開く場所

ライオンと魔女――ナルニア国ものがたり<1>　C・S ルイス著、瀬田貞二訳、岩波少年文庫　2000年
ハリー・ポッターと賢者の石　J・K・ローリング著、松岡佑子訳、静山社　2011年
ピーター・パン　J・M　バリー著、厨川圭子訳、岩波少年文庫　2000年
床下の小人たち　メアリー・ノートン著、林 容吉訳、岩波少年文庫　2000年
不思議の国のアリス　ルイス・キャロル著、脇明子訳、岩波少年文庫　2013年

北欧の空気を感じる住まい

ニルスのふしぎな旅　セルマ・ラーゲルレーヴ著、香川鉄蔵訳、偕成社文庫　1995年
やかまし村の子どもたち　アストリッド・リンドグレーン著、大塚勇三訳、岩波少年文庫　2005年
やかまし村はいつもにぎやか　アストリッド・リンドグレーン著、大塚勇三訳　岩波少年文庫　2006年
やかまし村の春夏秋冬　アストリッド・リンドグレーン著、石井登志子訳　岩波書店 2019年
ハムレット　ウィリアム・シェイクスピア著、福田恆存訳、新潮文庫　1967年
ロッタちゃんのひっこし　アストリッド・リンドグレーン著、山室静訳、偕成社 1966年

異国の暮らしに触れる

秘密の花園　フランシス・ホジソン・バーネット著、山内玲子訳、岩波少年文庫　2005年

赤毛のアン　L・M・モンゴメリ著、茅野美ど里訳、偕成社文庫　1987年
若草物語　ルイーザ・メイ・オルコット著、安藤一郎訳、偕成社文庫　2011年
メアリ・ポピンズ　P・L・トラヴァース著、岸田衿子訳、朝日出版社　2019年
大きな森の小さな家　ローラ・インガルス・ワイルダー著、こだまともこ、渡辺南都子訳、講談社青い鳥文庫　2019年
飛ぶ教室　エーリッヒ・ケストナー著、池田香代子訳、岩波少年文庫　2016年
ハイジ　ヨハンナ・シュピーリ著、若松宣子訳、偕成社文庫　2014年

昔話と寓話の家

雪の女王　ハンス・クリスチャン・アンデルセン著、木村由利子訳、偕成社文庫　2005年
マッチ売りの少女（アンデルセン童話集2 収録）ハンス・クリスチャン・アンデルセン著、山室静訳、偕成社文庫 1978年
幸福の王子　オスカー・ワイルド著、曽野綾子訳、バジリコ　2006年
鶏の卵ほどの穀物（『トルストイ民話集　イワンのばか他八篇』所収）レフ・トルストイ著、中村白葉訳、岩波文庫　1966年
太陽の東 月の西　アスビョルンセン編、佐藤 俊彦訳、岩波少年文庫　2005年

名探偵たちの晴れ舞台

シャーロック・ホームズの冒険　アーサー・コナン・ドイル著、延原謙訳、新潮文庫　2018年
オリエント急行の殺人　アガサ・クリスティー著、山本やよい訳、早川書房クリスティー文庫　2012年
ポケットにライ麦を　アガサ・クリスティー著、宇野利泰訳　早川書房クリスティー文庫　2017年
スタイルズ荘の怪事件　アガサ・クリスティー著、矢沢聖子訳、早川書房クリスティー文庫　2017年

*制作にあたって著者が参考にした版、もしくは現在入手しやすい版を掲載しています。

深井せつ子

神奈川県生まれ、画家。北欧をテーマとする個展を数多く開催。著書に『北欧グラフィティ』『インドグラフィティ』（みずうみ書房）、『デンマーク四季暦』（東京書籍）、『森の贈り物—北欧ヒーリング紀行』（大和出版）、絵本に『断面図鑑　東京タワー・東京ドーム』（ポプラ社）、『イエータ運河を行く』『風車が回った！』『一枚の布をぐるぐるぐる』『森はみんなの保育園』『スウェーデンの変身する家具』（全て福音館書店「たくさんのふしぎ」）など。

児童文学の中の家

2021年4月 6 日　初版第1刷発行
2021年7月19日　　　第3刷発行

著者：深井せつ子
発行者：澤井聖一
発行所：株式会社エクスナレッジ
〒106-0032　東京都港区六本木7-2-26
https://www.xknowledge.co.jp/

問い合わせ先：
編集：Tel 03-3403-5898 /Fax 03-3403-0582
info@xknowledge.co.jp
販売：Tel 03-3403-1321 /Fax 03-3403-1829